CHRONIQUE
DE LA SOURCE ROUGE

DU MÊME AUTEUR
chez un autre éditeur

LA DERNIÈRE VIE DE MADAME K.
roman

BERTHE BURKO-FALCMAN

CHRONIQUE DE LA SOURCE ROUGE

roman

CALMANN-LÉVY

Responsable littéraire
BERNARD GENIÈS

ISBN 2-7021-1329-X

Imprimé en France

A Jacques et à Judith
pour étancher une soif
et pour Loulou
qui a bu à une même source

Poupou

TOUT le monde m'appelait Poupou. C'était le diminutif languedocien que ma grand-tante, Mlle Calas, m'avait donné. Mon vrai nom c'était Joseph Cros. Mlle Calas, sœur Sainte-Odile en religion, dirigeait la minuscule communauté enseignante d'un bourg perché sur les monts de Lacaune. La communauté se réduisait à la mère supérieure et à deux religieuses : sœur Saint-Denis tenait le ménage et faisait office de tourière et de portière, sœur Sainte-Thérèse enseignait les filles du cours moyen, du cours supérieur et du certificat d'études.

Sœur Saint-Denis rougissait pour un rien. Sœur Sainte-Thérèse, dont elle avait été l'élève, favorisa son entrée dans la petite communauté. Hors de son office, tout l'affolait. Mlle Calas la plaisantait : « Ma fille vous perdez aisément la tête. Ah! vous portez bien votre nom! »

Quand j'interrogeai la jeune religieuse sur le sens de cette plaisanterie souvent répétée, elle me montra une image de son saint patron, il portait sa tête sous son bras. Parce qu'elle avait la haute main sur les choses de la cuisine, sœur Saint-Denis jouissait à mes yeux d'un glorieux prestige; qu'elle fût vouée à un tel patron l'auréola dorénavant d'un pouvoir où le sacré sûrement confinait à la magie. J'allais la voir dans son domaine, elle m'y lisait d'un livre, dont c'était l'unique histoire, la vie d'un moine ignorant qui adorait la Sainte Vierge à sa façon. Pendant que les autres moines étaient plongés dans l'étude de saints manuscrits, l'ignorant, juste capable de faire le portier du monastère, se glissait dans la chapelle, ôtait sa robe et, en braies et en chemise, accomplissait devant la statue de la Sainte Vierge des gambades et des contorsions, des grimaces et des petits sauts, qui faisaient se tordre de rire le petit Jésus.

Combien de fois ai-je entendu cette histoire! J'avais fini par en connaître tous les détails par cœur, j'aimais bien écouter ma lectrice. Elle prenait une voix de petite fille. Sa lecture butait contre certaines syllabes, elle hésitait sur la prononciation de mots pourtant reconnus lors de lectures précédentes. Alors je les lui soufflais. L'histoire terminée, sœur Saint-Denis la gorge nouée murmurait : « Moi aussi je fais ce que je peux. »

Puis elle se tournait vers une casserole posée sur la fonte noire dont je connaissais la brûlure, en soulevait le couvercle, y plongeait une cuillère en bois que j'étais invité à lécher : « Crois-tu petit que ma cuisine soit bonne? »

Moi je l'aimais sa cuisine. Les quelques « grandes » de sœur Sainte-Thérèse, pensionnaires dans notre communauté, l'appréciaient aussi. Souvent Mlle Calas jouait à prendre un ton de reproche : la jeune religieuse nous incitait à pécher par gourmandise. Sœur Saint-Denis rougissait, s'affolait, bousculait une assiette. Je ne comprenais pas la taquinerie : comment mon amie pouvait-elle être une créature du Démon et sa cuisine un lieu infernal? Toutes deux, si chaleureuses et douces. Chaque repas était suivi d'une demi-heure de lecture. A tour de rôle les pensionnaires lisaient d'une voix parfois hésitante comme celle de sœur Saint-Denis, parfois sûre et ferme. La lectrice recevait alors l'approbation sévère de sœur Sainte-Thérèse, et aussitôt se mettait à bredouiller d'émotion.

Sœur Sainte-Thérèse me faisait peur, elle souriait rarement. Il m'était arrivé d'entrer dans sa classe alors qu'elle rappelait à l'ordre une fille en la touchant du bout de sa longue badine, semblable à celle qu'utilisaient les paysans de la région pour piquer les bœufs. Je savais qu'un jour je deviendrais son élève. Cette perspective m'inquiétait : je serais seul au milieu de dizaines de filles. A *l'Asile,* comme on appelait la classe des petits, je n'étais pas l'unique de mon espèce sous la férule de Mlle Calas, qui en plus de ses fonctions de mère supérieure dirigeait la classe enfantine. A l'âge de la lecture, les garçons rejoignaient l'école des Frères du bourg. Les filles restaient chez les sœurs avec Mlle de Saurillac, une laïque, demoiselle dépourvue d'autorité par principe. Il y avait trois rangées dans sa classe. Quand on en avait effectué le parcours, on passait dans la classe supérieure, chez sœur Sainte-Thérèse dont la pédagogie différait de celle de Mlle de Saurillac.

Moi, j'avais été dispensé du séjour chez la demoiselle laïque. A force d'entendre l'histoire du moine ignorant, j'avais eu envie de retrouver dans le livre, les mots et les phrases énoncés par sœur Saint-Denis. Celle-ci me donna quelques repères et le Saint-Esprit aidant, je sus lire l'année de mes cinq ans. Sœur Saint-Denis et moi partageâmes la gloire de cette prouesse. Il fut même question de lui confier une section de petits; elle protesta, elle n'était pour rien dans mon apprentissage de la lecture, tout le mérite m'en revenait – et il n'en fut plus question.

Ma grand-tante perçut dans cette circonstance mes aptitudes scolaires, me trouva un élève agréable et me garda deux ans de plus dans la classe enfantine. Elle m'apprit à écrire, à compter, à faire des opérations, à bien tenir mon cahier propre. Je sus très vite réciter les tables de multiplication et plusieurs tableaux de conjugaison. Bref, je fus prêt à franchir le seuil de la classe de sœur Sainte-Thérèse bien avant la date prévue.

Mlle Calas avait eu pour sœur ma grand-mère paternelle dont je n'ai aucune souvenance, pas plus n'en ai-je de mes père et mère. Pour des raisons qu'on omit toujours de m'exposer, mes parents ne purent s'occuper de moi, ce, dès ma naissance, et je fus confié nouveau-né à mon aïeule. Quand elle mourut, sœur Sainte-Odile m'adopta.

Elle avait choisi la vie religieuse dans un ordre enseignant, et jamais ne fit autre chose qu'instruire des enfants. Lors des lois contre les congrégations, au début du siècle, elle avait quitté l'habit religieux et continué à enseigner dans des institutions catholiques. A cette époque, on ne l'appelait pas sœur Sainte-Odile mais Mlle Calas, son patronyme à l'état-civil. Seul je l'appelais par son nom de religieuse. Tous les autres disaient mademoiselle Calas; ce nom devenu le symbole d'un temps de persécution, sœur Sainte-Odile le portait comme l'auréole du martyre.

En dépit de sa longue expérience pédagogique, ma grand-tante n'avait pour moi élaboré aucun système d'éducation. J'allais et venais, libre dans le couvent. Deux corps de bâtiment formaient un angle droit occupé par la cour de récréation et constituaient la « Maison ». Au milieu de la cour un acacia. A sa base une espèce de banc circulaire servait de perchoir aux enfants de l'Asile. Ils y balançaient leurs jambes en chantant des comptines. Avec le temps, le jeu et l'emplacement perdaient tout intérêt. Les enfants rejoignaient alors les élèves de Mlle de Saurillac, près de la fenêtre de la cuisine toujours fermée pendant les récréations : sœur Saint-Denis ne voulait pas surprendre les secrets échangés près de son mur.

Dès que les « petits » s'approchaient, les élèves de Mlle de Saurillac émigraient vers les marches sur lesquelles les « grandes », assises, devisaient en longues conversations. Au printemps, moment de la migration des « moyennes », les élèves de sœur Sainte-Thérèse sortaient de la cour et passaient la petite porte percée dans le mur qui séparait l'école de la rue; elles y poursuivaient librement leurs confidences. Et puis dans les jours qui précédaient les grandes vacances, tout le monde se retrouvait dans la cour, avant la longue séparation de l'été. Les « grandes » découvraient les petits, elles se mettaient à les cajoler, fraternisaient avec les moyennes. En automne tout recommençait, chaque classe rejoignait son coin jusqu'aux prochaines migrations. Elles ne me concernaient pas. Je papillonnais d'un groupe à un autre, indifférent au rituel scolaire. Tous les groupes me sollicitaient, et les cajoleries des « grandes » me venaient bien avant l'été. Personne ne l'ignorait, j'étais le favori de Mlle Calas; d'ailleurs, celle-ci non seulement ne le dissimulait pas, mais encore l'affirmait. Son expérience du siècle lui avait appris que les enfants d'enseignants, frappés du malheur de fréquenter l'établissement scolaire de leurs parents, devenaient les boucs émissaires sacrifiés sur l'autel de la mauvaise conscience de ceux-ci. Victimes toujours innocentes de la culpabilité du père ou de la mère en crainte de n'être pas assez sévères avec leur progéniture, soumis à des sévices moraux, ils étaient des enfants martyrs d'une nature particulière.

A mon arrivée à la Maison, les manifestations de gentillesse universellement déchaînées sur moi ne me gâchèrent pas le caractère. J'étais un enfant bien disposé.

Mes parents ne me manquaient pas. Je trouvais confortable de n'en avoir pas. Les autres enfants me paraissaient encombrés de leur père et de leur mère. Les parents réprimaient, menaçaient, du moins m'en semblait-il à travers les conversations de mes condisciples. Aucun d'eux ne disait jamais que ses parents l'aimaient. Sur moi ne pesait aucune contrainte sauf celle qui m'interdisait de franchir les limites de la « clôture ». L'interdiction était tacite. Mlle Calas avait conservé de ses incursions dans le siècle une mentalité de persécutée. Le monde extérieur l'effrayait. Le couvent me protégeait, je ne pouvais en sortir qu'accompagné de sœur Saint-Denis.

L'arrivée de Rifkèlè fit s'effondrer pour moi les murs du couvent, se rompre par sa présence et comme par magie le cercle enchanté de mon « enfermement ».

Cosne-Ferrou était le nom de notre bourg. La population se partageait entre une communauté catholique et une communauté protestante. Très vite je l'appris, et très vite je compris qu'elles étaient antagonistes, encore qu'avec discrétion. Quand nous rentrions de récréation, nous devions prier agenouillés sur nos petites chaises. Il arrivait que nos genoux écorchés fussent douloureux, et nous restions debout. Alors la voix de Mlle Calas se faisait inhabituellement dure et sèche : « A genoux! Ce sont les protestants qui prient debout! »

Pendant des décennies les protestants bénéficièrent de leur passé de persécutés en Languedoc; les catholiques avaient à leur égard un sentiment de culpabilité qui tenait lieu de sympathie. Et puis, l'histoire politique de la France inversa les rôles : dans ce bourg où les questions religieuses devenaient facilement source d'exaspération, la communauté catholique prit fait et cause pour ses religieuses enseignantes, victimes de la loi Combes.

Les choses en étaient là depuis des lustres, lorsque survinrent des persécutés divers qui focalisèrent la sympathie des deux autres communautés. Du sud arrivèrent d'abord des Espagnols qui fuyaient la répression franquiste, leurs enfants allèrent à l'école laïque. Du nord affluèrent des Hollandais, des Belges dont les enfants furent répartis dans les écoles selon les places disponibles. Et puis apparurent des Juifs. Ils arrivèrent pendant l'été 1942. J'appris leur présence à la rentrée suivante. J'avais à cette époque huit ans. C'était ma première année chez sœur Sainte-Thérèse.

Quand à la récréation des filles racontèrent que leurs locataires juifs se cachaient dans les bois, dans la montagne, je ne les crus pas. Ça n'existait pas les Juifs. Les Juifs, c'étaient comme les Grecs, les Romains, les Égyptiens, des gens dans les livres d'histoire et c'est tout. J'interrogeai toutefois sœur Saint-Denis.

Des Juifs vivaient à Cosne-Ferrou. Sœur Saint-Denis tenait la nouvelle du boulanger qui livrait le pain à la Maison. Il lui avait raconté un matin de l'été passé, comment des hommes avaient emmené les Juifs qui habitaient chez lui et séparé les parents de leurs enfants; la grand-mère juive s'était effondrée morte lorsqu'on lui avait arraché des bras sa petite-fille pour la mettre avec les autres enfants qui hurlaient dans la bétaillère.

Je devins curieux de ces Juifs auxquels il arrivait des événements si terribles et que l'on traquait comme le cerf de mon manuel de lecture. Tous les jours, je posais de nouvelles questions à sœur Saint-Denis. Je voulais savoir comment vivaient dans notre bourg ceux qui avaient échappé à la rafle, pourquoi ils se cachaient et pourquoi leurs enfants ne venaient pas dans notre école. La religieuse, pour me complaire, s'informait auprès des commerçants qui lui livraient ce qu'elle commandait par l'intermédiaire de Mlle de Saurillac. J'appris qu'il y avait à l'école laïque une classe réservée aux enfants des Juifs.

***

Comme j'étais le plus jeune, sœur Sainte-Thérèse m'avait placé devant son bureau, à un pupitre pour deux. Il n'avait pas de case, mais des casiers bien distincts apparaissaient lorsqu'on soulevait chacune des planches légèrement à l'oblique qui servaient d'écritoire.

La veille du jour de mon entrée officielle dans sa classe, sœur Sainte-Thérèse m'avait conduit à la place qui devait être la mienne trois années durant. Elle me donna un cahier pour les brouillons, un pour les devoirs du soir, un pour ceux du jour, un crayon noir.

« Emménage », me dit-elle.

Puis elle me laissa seul.

A l'Asile, sur des tables basses au plateau ovale étaient disposés des cubes, des crayons de couleurs, des cahiers, des livres d'images. Ces objets appartenaient à tous. Mlle Calas s'épargnait ainsi des discussions sans fin avec les mères : elles ne retrouvaient jamais les trésors de leurs petits, et avec les enfants : ils confondaient, en toute bonne foi, ce qui était à eux et ce qui était aux autres.

Si ce système simplifiait la vie de Mlle Calas, il interdisait la propriété privée. Aussi, lors du passage chez Mlle de Saurillac, c'était la ruée sur les casiers. Le jour de la rentrée, les filles arrivaient avec des cartables bourrés de boîtes mystérieuses, maintenaient avec leur tête la planche soulevée et, ainsi dissimulées, rangeaient leurs trésors. Mlle de Saurillac savait qu'il lui serait impossible d'entreprendre quoi que ce fût tant que ce rite de passage n'aurait pas été accompli. Moi qui avais prolongé mon séjour dans la classe enfantine, je me sentis longuement frustré de la fête du casier, mes anciennes condisciples ne se privaient pas de me la raconter.

Chez sœur Sainte-Thérèse la magie du pupitre à couvercle n'opérait plus, on n'osait pas pratiquer le rite avec la même ostentation. Mais sœur Sainte-Thérèse connaissait ma nostalgie de cet usage, et elle me fit cette faveur de m'y laisser procéder juste avant ma rentrée.

Je ne possédais rien, sinon quelques images pieuses que j'avais amassées au cours des derniers printemps; les grandes, le jour de leur communion solennelle, venaient à la Maison dans leurs belles robes d'organdi, drapées dans leurs voiles qu'elles entrouvraient afin de dégager une aumônière attachée à leur taille, un peu sur le côté. Elles en sortaient des images dorées, bordées de dentelle de papier, et j'avais le droit de choisir celle qui me plaisait le plus. Je n'aimais pas choisir, j'étais indécis. Elles finissaient toujours par trouver que mon choix s'éternisait et par décider elles-mêmes que « celle-là était vraiment la mieux ». J'avais ainsi une collection de saint Jean-Baptiste enfant, vêtu de peau de mouton brune, la houlette à la main, pasteur de quelques agneaux aussi frisés que lui.

Sœur Saint-Denis m'avait fait cadeau de l'histoire du moine aux pirouettes.

Mlle de Saurillac pourvoyait à mes lectures, elle m'apportait des livres qu'elle empruntait à ses neveux. Lorsque je pratiquai le rituel du casier, j'étais en train de lire *Un bon petit diable.* Je le plaçai à l'intérieur contre une paroi, debout. J'y accolai le livre de sœur Saint-Denis.

Les cèpes

JE me souviens, c'était le 7 décembre. Bientôt Noël. Sur le tableau, la maxime de la journée inscrite par sœur Sainte-Thérèse nous invitait aux sacrifices, pour que l'Enfant Jésus eût de la paille, chaude et propre, dans sa crèche. J'étais à court de sacrifices. Depuis le début du mois, je demandais à sœur Saint-Denis de confectionner les desserts les plus tentateurs. Je la regardais les préparer les jours où je n'avais pas classe. Les jours d'école, j'y pensais de toutes mes papilles, mais je n'en goûtais pas même une lichette. C'était là mon sacrifice quotidien. Je trouvais dans ces privations, une souffrance et un plaisir qui fortifiaient mon amour pour Jésus. Mais Mlle Calas jugea qu'il était temps de modifier la nature de mes sacrifices, il me fallait faire un effort renouvelé. La Providence nous envoya Rifkèlè.

Elle était blonde, et avait des yeux bleus. Depuis peu, elle vivait chez la mère Peyrac dans la maison aux volets sombres et à la porte toujours close, qui faisait l'angle, avant de traverser la rivière, après le pont du chemin de fer. Je la connaissais. Je passais devant les rares fois où, avec sœur Saint-Denis, nous raccompagnions ses parents, certains dimanches après les vêpres. Je craignais toujours de rencontrer la mère Peyrac. Cette crainte gâchait mon plaisir d'avoir franchi la clôture. Je trouvais à cette femme dure d'aspect, un air sinistre, elle me semblait très vieille. Quand c'était la saison, elle apportait à la Maison des paniers pleins de feuilles et de fleurs de tilleul moissonnées sur le gros arbre planté à l'entrée du pont, en face de sa maison. Il ne lui appartenait pas plus qu'à quiconque, mais elle en avait fait sa propriété, et nul, jamais, n'osa la lui contester. A la Maison, on aimait les fleurs du tilleul de la mère Peyrac. On les buvait l'hiver en de chaudes infusions après la lecture du soir : elles étaient censées inspirer des songes bénéfiques. La mère Peyrac me terrorisait et le tilleul me faisait vomir.

Au cours de l'été de cette année, la bonne femme avait loué une chambre à une Juive venue de Paris. « Sûrement une Juive », expliquait la mère Peyrac à sœur Saint-Denis, puisqu'elle allait tous les lundis après-midi avec les autres Juifs faire la queue chez les gendarmes pour leur dire qu'elle était toujours là. Pas catholique tout ça! Qu'est-ce qu'elle, et les autres, pouvaient bien avoir fait pour se faire surveiller comme ça chaque semaine par les gendarmes? Et puis elle était bizarre cette femme, elle parlait un vrai charabia. Elle attendait quelque chose pour sûr! Tous les jours elle guettait l'arrivée du facteur. Jamais il ne venait. Mais elle était honnête, pour ça oui! Et travailleuse avec ça! Chaque mois elle payait sa chambre le jour dit. Elle gagnait ses sous en faisant de la couture à la journée chez les gens du pays. Mlle de Saurillac avait utilisé ses services, et pour les avoir goûtés, elle les avait vantés à ma grand-tante.

Lorsque je la vis quelques fois dans la lingerie occupée avec sœur Saint-Denis à ourler des torchons taillés dans des draps usagés, je lui dis « bonjour madame ». Mais je pensais la Juive, comme tout le monde ici la désignait, elle et les autres Juives, sans cette connotation suspecte, découverte bien plus tard, que ce terme impliquait.

Quand je lui demandai si le facteur lui avait enfin apporté ce qu'elle attendait, elle me regarda surprise, et se mit à pleurer. Un autre jour, je lui offris une de mes images de saint Jean-Baptiste enfant, elle se mit à pleurer de plus belle et sortit de son sac la photographie d'une petite fille blonde et frisée comme le saint Jean-Baptiste de mes images, avec des joues aussi rondes et le même sourire dans les yeux. C'était sa fille. Rifkèlè devait venir la rejoindre à Cosne-Ferrou. Elle attendait la lettre qui annonçait sa venue. Elle attendit tout l'été, puis l'automne.

Aux derniers jours du mois de novembre, la mère Peyrac nous apportait les cèpes cueillis à la fin de l'été et mis à sécher sur des fils dans son galetas. Elle les apportait en longs colliers qu'elle disposait au fond d'un panier à linge, vaste comme un berceau. Cette année-là, les pluies répétées avaient rendu la récolte abondante. Le panier débordait. La mère Peyrac l'avait porté sur sa tête depuis sa maison.

C'était l'heure de la récréation. Des grandes étaient venues la saluer, mais les petits qui ne la connaissaient pas en eurent peur. Vêtue de noir, habillée comme une vieille femme, elle avançait droite comme une jeunesse, le regard indifférent. La présence de tous ces enfants ne lui fit même pas esquisser un sourire. Tous s'écartèrent pour la laisser passer. Elle posa son panier près de la fenêtre de la cuisine, cogna au carreau. Sœur Saint-Denis apparut et toutes deux firent passer les champignons à l'intérieur. J'usai de mon privilège d'enfant choyé par Mlle Calas pour venir de très près humer les champignons séchés, et malgré la répulsion que m'inspirait la mère Peyrac, je pénétrai dans la cuisine.

J'aimais bien l'odeur des longs colliers et je m'en

parais pour être imprégné de leur parfum. Sœur Saint-Denis me soulevait alors sous les aisselles et faisait mine de m'accrocher à une solive du plafond en me disant que j'étais un gros champignon pas encore assez sec.

Avec les champignons, la mère Peyrac nous apporta la nouvelle : la Juive avait enfin reçu la lettre, sa gamine devait arriver par le petit train, le soir du 30 novembre.

L'arrivée de Rifkèlè

A l'heure où devait arriver Rifkèlè, je rêvais que saint Jean-Baptiste jaillissait du tunnel une lettre à la main; avec la voix et l'accent de la Juive il annonçait la venue de la petite fille.

Mais Rifkèlè ne vint pas ce soir-là, et sa mère se jeta dans la rivière.

Elle sauta du pont. On la retrouva un peu plus loin, juste avant la roue du vieux moulin.

Ç'avait été compliqué pour l'enterrer. On ne savait s'il fallait la mettre dans le cimetière des catholiques ou dans celui des protestants. Comme le maire était catholique, c'est lui qui prit la décision. On l'enterra de l'autre côté de la voie ferrée, juste en face de la gare.

Le soir même, Rifkèlè arriva. Une jeune fille l'accompagnait. Bien plus tard, le chef de gare raconta qu'il avait reconnu la petite dès qu'il l'avait vue sur le quai. A Cosne-Ferrou, on connaissait l'histoire de Rifkèlè qui n'était pas arrivée quand sa mère l'espérait. La jeune fille, une valise posée à ses pieds, regardait autour d'elle, cherchait quelqu'un. Alors le chef de gare s'était approché de l'enfant pour demander si elle était Rifkèlè. La fillette avait souri et l'homme dit « qu'on l'attendait il y a trois jours ». Puis il emmena les deux voyageuses chez la mère Peyrac.

La femme raconta à la jeune fille ce qui était arrivé, et qu'elle ne savait pas quoi faire de la gamine. L'accompagnatrice non plus ne savait pas. Sa fonction était de faire franchir la ligne de démarcation à des enfants juifs. Sa mission accomplie, elle en avait d'autres à convoyer. Elle ne pouvait plus rien, pas même laisser les faux papiers qui avaient permis à Rifkèlè le passage de la ligne; ils seraient utilisés pour une autre petite fille. Le soir même elle repartit pour Castres.

La mère Peyrac

La mère Peyrac n'avait pas l'intention de s'encombrer de la gamine. Elle vivait seule. Son fils habitait de l'autre côté de la voie ferrée. Jamais il ne venait voir sa mère et jamais elle ne parlait de lui. Je connaissais leur histoire parce que sœur Saint-Denis dans sa cuisine aimait la raconter.

Cette année au moment des cèpes, comme la mère Peyrac déballait les colliers en présence de Mlle de Saurillac, j'entendis celle-ci lui murmurer : « Vous savez, la petite ne va pas très bien... » Alors la femme en noir s'essuya le visage avec une espèce de châle roulé en boule qui lui avait servi de coussinet, but le verre d'eau présenté par sœur Saint-Denis et s'en alla.

La cloche sonna, je me précipitai avec les autres pour me ranger dans la cour. Notre classe était sur le même niveau. Il nous fallait très peu de temps pour nous agenouiller sur nos bancs. Là, commençait la prière de dix heures.

« *Le fruit de vos entrailles* »

La prière rompait la matinée et m'intriguait.

Il y avait d'abord « *le fruit de vos entrailles* » que les grandes refusaient de m'expliquer avec des petits rires mortifiants. Sœur Saint-Denis consultée, prise de ses balbutiements de lectrice maladroite, avait rougi et bredouillé que ça voulait dire que la Sainte Vierge était la maman du petit Jésus. Est-ce que toutes les mamans portaient un fruit dans leurs entrailles? Réponse évasive. Oui. Non. Et qui cueillait le fruit dans leurs entrailles? Pas de réponse. Je soupçonnais les pères.

Autre chose m'embarrassait. Une demande toute spéciale au Bon Dieu concernait « notre chef, le maréchal Pétain ». Je n'avais jamais entendu parler de ce personnage à l'Asile. Je me demandai longtemps quel saint il était, et si comme à saint Antoine de Padoue qui m'avait permis de retrouver une bille d'agate dissimulée dans le fouillis progressivement installé dans mon casier, je pouvais présenter une requête. Sœur Saint-Denis fut plus loquace sur le maréchal Pétain que sur « *le fruit de vos entrailles* ». Son père avait combattu au Chemin-des-Dames et souvent raconté sa guerre.

« Pétain, c'est comme Vercingétorix ou Bayard.

– Dans les prières on ne parle pas de Bayard, ni de

Vercingétorix. Dans les prières on parle de Jésus, de la Sainte Vierge. »

Et je harcelais sœur Saint-Denis.

« Pourquoi on demande au Bon Dieu de protéger notre chef le maréchal Pétain? Est-ce qu'il est malade?

– Non, il est vieux.

– Pourquoi il est notre chef? »

Le maréchal Pétain avait gagné la guerre, alors il était le chef.

Je n'y comprenais rien. Il n'y avait donc plus de guerre? Alors pourquoi sœur Saint-Denis m'avait-elle dit que les réfugiés étaient arrivés à Cosne-Ferrou à cause de la guerre?

Après la récréation de ce matin, je récitai machinalement la prière, l'esprit comme d'habitude préoccupé par les mots pleins de mystère énoncés quotidiennement. Je pensai à cette petite qui n'allait pas très bien, j'aurais voulu savoir qui elle était.

La prière finie, je m'assis pour recopier sur mon cahier la date inscrite au tableau : vendredi 20 novembre 1942. Le lendemain il n'y aurait pas classe. A l'école libre de Cosne-Ferrou, le 21 de chaque mois était jour de congé parce que jour de marché. L'école laïque s'était montrée généreuse à l'égard des paysans en leur accordant la présence de leurs enfants pendant les mois d'été, afin qu'ils puissent participer aux travaux des champs. L'école libre à Cosne-Ferrou octroya, en plus, le congé du jour de marché.

C'était un jour précieux. Bien plus que le jeudi consacré au cathéchisme – ce qui ne le changeait guère des autres jours de la semaine; ils commençaient tous par une séance de questions sèches, assenées par sœur Sainte-Thérèse, formulées au même rythme que les interrogations de calcul mental. Les réponses sur la perfection de Dieu et son infinie bonté n'arrivaient jamais assez vite sur les lèvres des questionnées. – Bien plus précieux que le dimanche, lui aussi chargé d'obligations diverses. Le 21, c'était vraiment le jour des enfants libérés de l'école et des parents, la plus belle fête du calendrier, mensuellement recommencée.

Les grandes acquéraient pour quelques heures la plus complète indépendance : les parents au marché, l'école fermée, elles sillonnaient la place de la Vierge où étaient installés les éventaires, se promenaient sur l'esplanade qui dominait la Grand-Rue. Parmi les bovins et les chevaux, entre les cageots de volailles, elles retrouvaient les garçons de l'école des Frères. Le lendemain pendant la récréation, les délices de ce jour m'étaient racontées. J'aimais cette trêve mensuelle. Sœur Saint-Denis, le matin vers neuf heures, partait pour le marché. A dix heures trente elle retrouvait sa cuisine où j'attendais ses provisions et ses histoires. Je lui faisais tout déballer en même temps.

Ce 21 novembre, mon amie me raconta un nouvel éventaire tenu par Mlle Jeanne, la gouvernante d'un vieux diamantaire anversois. Tout le monde la connaissait depuis son arrivée dans le bourg. On la voyait le dimanche à la grand-messe et aux vêpres, la tête coiffée de chapeaux extravagants, qu'elle réalisait elle-même et modifiait chaque semaine. Ils étaient l'attraction hebdomadaire qui distrayait les élèves des écoles à l'église, et me rendait coupable d'inattention. Elle gagnait sa vie et celle de son diamantaire comme elle pouvait. La ruine de celui-ci, déjà bien amorcée, s'était achevée au cours de ses pérégrinations jusqu'à Cosne-Ferrou. Ancienne infirmière, elle faisait des piqûres et posait des ventouses dans tout le pays. Elle arrivait perchée sur une bicyclette cédée par Mlle de Saurillac, avec des douceurs pour le malade, des paroles réconfortantes. Ses piqûres étaient réputées indolores. Mlle Jeanne avait également d'autres talents; elle réalisait des sacs dans de vieux tissus qu'elle armait de carton pour les rendre rigides, et des écharpes qu'elle peignait et dont elle saupoudrait les couleurs encore fraîches, de poussières d'or et d'argent. Bientôt, toutes les femmes de Cosne-Ferrou et des environs voulurent posséder ces objets, si rares dans notre région.

Ce 21 novembre, elle avait obtenu l'autorisation du maire de vendre sur le marché ses créations; elles lui valurent une clientèle avide.

*
* *

Je demandai à mon amie si elle avait vu la mère Peyrac à la foire. Non, elle n'y était pas. Je suggérai alors que la petite allait peut-être encore plus mal. Sœur Saint-Denis me regarda avec surprise. Oui, j'avais entendu Mlle de Saurillac dire hier à la mère Peyrac que la petite n'allait pas très bien :

« C'est qui cette petite? »

J'avais toujours vu sœur Saint-Denis gaie et enjouée. Parfois sa maladresse la rendait bredouillante de la voix et des gestes. Mais jamais je ne vis son visage se décomposer comme il le fit à ma question.

La petite s'appelait Viviane, c'était la fille de Denise, la meilleure amie de sœur Saint-Denis lorsqu'elles étaient ensemble dans la classe de sœur Sainte-Thérèse. Denise habitait avec sa mère et sa grand-mère dans une maison sans électricité, de l'autre côté de la voie ferrée. Denise était douce, très pâle, elle toussait beaucoup. Sœur Saint-Denis aimait la protéger et l'emmenait parfois chez ses parents qui habitaient un hameau à quelques kilomètres de Cosne-Ferrou. La mère y élevait deux porcs et quelques brebis, le père était sabotier sans plus guère de pratiques.

Quand Denise venait leur rendre visite, ils l'obligeaient à boire du lait, ils auraient voulu la garder près d'eux, mais Denise ne voulait pas.

Depuis toujours elle connaissait Manou, le fils de la mère Peyrac. Ils avaient partagé les mêmes jouets à l'Asile et depuis ils s'aimaient. L'âge de la lecture les avait séparés, mais ils se retrouvaient le matin avant l'école. Le soir, Manou raccompagnait son amie, s'attardait dans sa maison.

Le certificat d'études passé, Denise était restée dans la maison de sa mère, elle s'affaiblissait doucement. Manou devenu apprenti chez le menuisier qui jouxtait la maison de Denise, pouvait la voir tous les jours. Lorsque l'hiver rigoureux à la poitrine de la jeune fille s'achevait, le soleil du printemps la réchauffait tandis qu'assise sur le seuil de la menuiserie, elle regardait les copeaux jaillir dans la lumière sous la varlope de son amoureux.

Tant qu'il s'était agi d'amours enfantines, la mère Peyrac n'avait rien dit. Tout Cosne-Ferrou semblait s'être attendri sur les deux enfants. Mais Manou n'avait pas besoin de l'entendre exprimée, il sentait de toute sa personne l'hostilité de sa mère croître tandis que passait le temps. C'est pourquoi il s'acharna à être un fils irréprochable, puis un travailleur consciencieux; en aucun cas, il ne devait donner l'occasion d'une remontrance. Pourtant la mère Peyrac manifesta de plus en plus nettement sa désapprobation jusqu'à dire enfin, que cette fréquentation devait finir, qu'elle était sûre que Manou allait être infecté par le mal de cette fille. Elle exigea son départ immédiat pour les Chantiers de Jeunesse. Peu après, Denise sut qu'elle était enceinte. Manou était mineur. Jamais la mère Peyrac ne voulut entendre parler mariage. Parce que Denise comme Manou s'appelait Peyrac, la bonne femme cria qu'on ne se mariait pas entre cousins. C'était là une mauvaise raison, une raison de colère : dans le pays, nombreuses étaient les familles qui portaient les mêmes noms sans qu'aucun lien ne les nouât. Pourtant la femme se tint à sa mauvaise raison.

Aux Chantiers de Jeunesse Manou devint malade, une pleurésie dont il faillit mourir. Son séjour à l'hôpital dura plusieurs mois. On le renvoya convalescent chez sa mère. Il arriva à Cosne-Ferrou le soir. A sa descente du train, il se dirigea vers la maison de Denise.

Elle venait d'accoucher d'une petite fille et dormait. Le médecin avait dit que l'enfant semblait saine. Manou bouleversé, repartit, traversa la voie ferrée et arriva chez sa mère.

« Je veux marier Denise. Je veux vivre avec elle, avec ma fille! Je suis majeur maintenant. »

Sa mère lui hurla que c'était Denise qui l'avait infecté, à cause d'elle il était malade, elle avait failli elle, perdre son fils, à cause de Denise! D'ailleurs avec une telle mère l'enfant ne vivrait pas!

Manou rendu furieux, sanglota que sa fille vivrait, qu'elle s'appellerait Viviane!

Puis il sortit désespéré, comme un fou il arriva chez Denise.

Les yeux ouverts, elle parut le regarder s'approcher. Elle était morte.

Jamais Manou ne retourna chez sa mère.

Dans les semaines qui suivirent l'enterrement, sœur Saint-Denis resta des journées entières avec Viviane. Manou ne la voyait pas; il passait des heures près de l'enfant, hébété. Puis un jour, avec colère, il lui demanda ce qu'elle faisait là.

Peu après, la jeune fille commença son noviciat.

La mère Peyrac n'avait pas cherché à revoir son fils.

Elle ne connaissait pas sa petite-fille, bien qu'elle en fût douloureusement curieuse. Elle savait l'enfant fragile; la pension d'invalidité touchée par Manou ne suffisait pas à subvenir aux nécessités qu'exigeait la faible constitution de Viviane. Mais la mère Peyrac ne voulait pas céder, s'humilier. Plus passait le temps, plus se durcissait son visage et se raidissait sa silhouette.

C'est la chambre de Manou que la Juive avait occupée jusqu'à sa mort, et c'est dans son lit que Rifkèlè s'était endormie le 2 décembre.

L'enterrement de Viviane Peyrac

VIVIANE mourut le mercredi qui précéda l'arrivée de Rifkèlè. On l'enterra le samedi suivant.

A Cosne-Ferrou, où tous connaissaient les amours de Manou et de Denise, on avait pleuré sur Denise, on plaignait la mère Peyrac et son fils. Personne ne les jugea. Tous suivirent l'enterrement de Viviane, comme ils avaient suivi celui de Denise.

Je passais le samedi après-midi avec sœur Saint-Denis. Nous bavardions, je lui racontais ce que j'avais appris pendant la semaine. Parfois je l'aidais à préparer un plat – ou bien à bâtir un ourlet comme elle me l'avait appris. Pendant ce temps, les grandes se vouaient à la couture et, pour que fût occupé l'esprit en même temps que les mains, la classe entière récitait des chapelets. Comme j'étais le plus petit et un garçon, on me dispensa de couture et de chapelets répétitifs. Une faveur dont je me serais passé, j'aimais coudre, mais sœur Sainte-Thérèse l'ignorait, et j'aimais tous les rites de répétition. Dans cette Maison à la règle légère, bien que stricte, j'étais vraiment un petit garçon heureux. Il me suffisait pour m'en convaincre de comparer la quiétude de mon sort à toutes les catastrophes qui s'abattaient sur les personnages des livres que me prêtait Mlle de Saurillac. Moi, je n'avais jamais à donner la preuve de mon courage, ma vie était douce, protégée. Je ne courais même pas le risque de devenir orphelin puisque je n'avais pas de parents. Je n'imaginais pas que le Paradis, qui m'était bien évidemment promis, pût être plus suave que ma vie.

Ce samedi après-midi, la classe de sœur Sainte-Thérèse devait participer aux obsèques de Viviane. Je fus autorisé à y accompagner sœur Saint-Denis. Ce devait être mon premier enterrement.

Les grandes m'avaient assuré que Viviane, devenue maintenant un angelot, était au Ciel avec Denise. Il n'y avait donc pour moi que des raisons de me réjouir de son sort. Seul le chagrin de sœur Saint-Denis me rendait triste.

Dans l'église pleine de monde, tout était aussi blanc que le jour de la communion solennelle des grandes. Cependant, les fidèles en habits du dimanche semblaient malheureux. Sœur Saint-Denis priait en sanglotant. J'étais près d'elle, à gauche de la nef. De l'autre côté de la travée, Manou, blafard dans son costume noir, pleurait. Près de lui, la mère et la grand-mère de Denise avaient comme épuisé leurs larmes. Je savais la mère Peyrac impavide, assise dans le fond près de la porte. Je l'avais reconnue en fouillant l'assistance des yeux. J'avais vite détourné mon regard, comme honteux d'une indiscrétion.

Après la messe commença un défilé dont chacun des personnages semblait connaître depuis toujours l'ordonnancement.

Quand les assistants eurent tous béni la petite fille, les deux enfants de chœur dépouillèrent le cercueil de ce qui le dissimulait aux yeux des fidèles. On vit une petite caisse de sapin blanc qui paraissait légère. M. le curé lui donna l'ultime bénédiction dans l'église. Manou se leva et prit dans ses bras la bière de sa fille, telle une offrande. Il avança dans l'allée vers la sortie, lentement, comme à regret. J'avais suivi la travée centrale, au bout de laquelle la mère Peyrac restait agenouillée. Manou, arrivé à la hauteur de sa mère, parut esquisser le geste de lui tendre sa charge. Elle se releva et vint marcher près de lui. Dehors, sur l'esplanade de l'église s'organisa le cortège vers le cimetière, M. le curé en tête. Les deux enfants de chœur encadraient Manou. Eux seuls ne paraissaient pas tristes. Sœur Saint-Denis, à côté de ses parents, ne cessait de pleurer. Trois silhouettes noires suivaient Manou. L'une avançait dans une raideur ostentatoire, les deux autres semblaient brisées par le chagrin. Je n'en étais séparé que par les élèves de ma classe qu'encadraient Mlle Calas et sœur Sainte-Thérèse. Je m'ennuyais. J'avais espéré qu'au cours de la marche vers le cimetière j'aurais découvert un peu plus Cosne-Ferrou, que je ne connaissais guère. Or, le chemin suivi par le cortège m'était familier. Encore un peu nous arriverions devant la pâtisserie d'Hélène Vidal, une ancienne élève chez qui tous les dimanches après la messe, sœur Saint-Denis m'achetait une babiole. J'étais déçu par la solennité de l'enterrement. Je ne reconnaissais plus les grandes. On aurait dit que leurs yeux regardaient à l'intérieur de leur tête. Distraitement je fis tourner l'anneau que portait sœur Saint-Denis à son doigt. Je jouais souvent avec les mains de mon amie. Je lui avais demandé pourquoi cette bague à l'annulaire. C'était parce qu'elle était mariée avec le Bon Dieu. Alors Mlle Calas et sœur Sainte-Thérèse aussi étaient mariées avec le Bon Dieu? Mais alors il avait plein de femmes le Bon Dieu? Pas de réponse. Avec sœur Saint-Denis, pas de réponse équivalait à une ignorance ou à un refus de répondre. Mais si elle était mariée avec le Bon Dieu, c'est lui qui allait cueillir « *le fruit de ses entrailles* », comme pour la Sainte Vierge? Pas de réponse.

Tant que je fus à l'Asile avec Mlle Calas, il arrivait à sœur Saint-Denis d'avoir des flux de tendresse démonstrative à mon égard. Alors elle me serrait très fort et m'appelait son petit garçon. Si j'avais vraiment été son petit garçon, j'aurais été le fils du Bon Dieu, comme Jésus? Alors Jésus aurait été mon frère! Là un abîme s'ouvrait.

Nous avions dépassé la pâtisserie d'Hélène Vidal, je ne connaissais plus du tout le chemin que nous suivions. J'étais fatigué, il faisait de plus en plus sombre, j'aurais voulu être dans mon lit ou dans la cuisine de sœur Saint-Denis. Je pensais à Manou qui serait désormais un père sans enfant, à sœur Saint-Denis qui était une épouse sans un mari « pour de vrai » et à moi qui étais l'enfant de personne. Le monde me parut soudain mal fait et je devins triste pour mon compte personnel.

Enfin nous atteignîmes le but de ce lent cortège. Pour la première fois je franchissais les grilles noires qui enfermaient les morts. J'avais toujours su ce qu'était un cimetière, un jardin tranquille pour des cadavres enterrés, immobiles.

La mort pour moi était associée au repos, comme une prolongation de la vie quiète que je menais dans la Maison. Pourtant je savais d'instinct le malheur, le désordre. Tapi dans un coin de ma tête, ce savoir n'attendait qu'un signe pour s'épanouir.

Nous avancions parmi les tombes. Je déchiffrais sur les caveaux, sur les pierres tombales, les noms patronymiques gravés, noms familiers que j'entendais quotidiennement, ceux des élèves de ma classe.

Un instant je jouai à croire qu'elles étaient toutes mortes, et que lundi je serais seul en classe, tout seul. Le cortège s'immobilisa.

Je lâchai la main de sœur Saint-Denis, je me faufilai parmi les assistants et je m'approchai de la fosse ouverte. Deux hommes l'éclairaient avec des lampes-tempête suspendues au bout de leurs bras. M. le curé prononça une brève homélie.

Puis les deux fossoyeurs accrochèrent leurs lampes sur la croix qui surmontait la fosse. Ils ôtèrent sa charge aux bras de Manou qui eut un geste de refus, entourèrent d'une corde le petit cercueil et, ainsi encordé, le firent descendre dans la fosse. Dans le fond je vis une boîte semblable à celle qu'on descendait, plus longue et noircie par l'humidité. M. le curé commença à réciter *De profundis clamavi ad te domine...* et tous les assistants récitèrent avec lui. Cette prière m'effrayait, j'en avais lu la traduction dans le livre de catéchisme que sœur Sainte-Thérèse m'avait prêté. Pourquoi si la mort était le repos promis, le mort de la prière semblait-il en appeler à Dieu avec cette inquiétude? J'eus soudain très peur, et j'éclatai en sanglots tandis que les fossoyeurs, après avoir ramené leurs cordes, obstruèrent la fosse avec une dalle. La petite fille ne pourrait jamais plus sortir.

***

Je rentrai à la Maison, épuisé, porté par le père de sœur Saint-Denis, sanglotant contre son épaule, tandis que sa fille nous suivait en larmes, égrenant son chapelet. Les élèves s'étaient dispersées à la sortie du cimetière et Mlle Calas avec sœur Sainte-Thérèse me regardaient perplexes.

Je me couchai sans dîner, heureux de retrouver mon lit. Comme tous les soirs, je dis avant de fermer les yeux : « Mon Dieu, je remets mon âme entre vos mains. » Pour la première fois, j'eus peur de mourir. Puis je m'endormis en pensant que le lendemain, Rifkèlè arriverait par le train du soir, que c'était dimanche, il n'y aurait pas d'école, sœur Saint-Denis m'achèterait une babiole dans la pâtisserie d'Hélène Vidal.

Rencontre

APRÈS l'enterrement, la mère Peyrac quitta le cimetière sans un regard pour Manou.

Enfin seule, la femme en noir laissa aller sa peine. Sur le pas de la porte, dans la nuit, elle croisa la locataire qui rentrait de sa journée de couture, excitée de joie et d'attente, sa fille arrivait demain. La détresse de sa logeuse surprit l'étrangère qui la crut malade. Non elle n'était pas malade, elle venait d'enterrer sa petite-fille et ce n'était pas juste que les enfants meurent. Alors le visage de la Juive devint tout pâle. Elle aurait voulu parler avec sa propriétaire, la réconforter, mais la mère Peyrac n'avait pas envie de causer. Elle quitta la Juive au bas de l'escalier.

Le lendemain, tout le jour la locataire resta dans sa chambre. Le soir sans hâte, elle partit pour la gare. Avant qu'elle ne sorte la mère Peyrac croisa son regard.

Elle ne la revit jamais vivante.

La mère et son fils

MAINTENANT qu'est-ce qu'il fallait faire de la petite fille couchée dans le lit de Manou? La conduire à la gendarmerie. Après tout la Juive s'y rendait chaque lundi. Elle avait ses raisons que les gendarmes connaissaient. Ils sauraient bien eux.

Le lendemain matin une automobile s'arrêta devant la maison. Deux hommes en imperméable, et un milicien armé d'une mitraillette en sortirent. La mère Peyrac dans sa remise nourrissait les lapins dans leurs clapiers, juste derrière la porcherie. Elle n'avait entendu ni la voiture, ni les hommes. C'était l'heure de donner à manger au cochon. Les grognements de l'animal attirèrent les hommes, quelqu'un devait être avec la bête. Quand ils traversèrent la remise, la mère Peyrac les vit. Elle ne les connaissait pas. Ils n'étaient pas d'ici. Qu'est-ce qu'ils venaient faire là avec cette mitraillette? Qu'est-ce qu'ils voulaient? La Juive? Elle était morte. Elle s'était jetée dans la rivière. Si elle avait des enfants la Juive? Elle n'en savait rien. Elle n'y causait pas à la Juive qui parlait son charabia. Elle leur tourna le dos et se dirigea vers le cochon dont les grognements devinrent voluptueux à son approche.

Occupée à nourrir la bête, la mère Peyrac se demanda pourquoi elle avait menti. La nuit elle avait mal dormi.

C'était comme s'il y avait un lien entre la mort de Viviane et la mort de la Juive. D'habitude elle ne pensait à rien. Si parfois une pensée parvenait à s'insinuer, la mère Peyrac redressait son corps et sa tête, et la pensée, coincée, disparaissait anéantie. Dans ce néant elle avait puisé cette force entêtée qui depuis toujours terrorisait Manou. Et voilà, ce matin elle n'arrivait pas à bloquer ses pensées. C'était comme ça depuis que Viviane était morte. Mais pourquoi donc avoir menti à ces hommes? Pourquoi? Elle n'avait pas l'intention de garder la petiote. Elle sortit sur la route. Il faisait froid. De l'autre côté de la rivière, devant chez les Trigassier, elle vit l'automobile arrêtée. Les trois hommes de tout à l'heure y firent monter Mme Blanche et ses deux grandes filles. Toutes les trois pleuraient. Qu'est-ce qu'elles avaient fait? La mère Peyrac les connaissait. Les trois femmes avaient participé à l'arrachage des pommes de terre, avec les Trigassier dans le champ de Joseph Gros. Elles venaient de Belgique, c'étaient des réfugiées. Elles étaient gentilles, rieuses, travaillaient dur à n'importe quoi. Pas comme ces autres, réfugiées elles aussi, avec leurs beaux habits de la ville, qui traînaient oisives, à rien faire toute la journée, dans le jardin public autour du monument aux morts. Alors où est-ce qu'on les emmenait? Pauvres!

L'automobile démarra très vite vers le centre du bourg. La mère Peyrac la suivit longtemps des yeux, comme pour suspendre l'acheminement de sa pensée et trouver une signification à cet enlèvement. Elle reconnut au dernier moment, juste avant de franchir sa porte, l'homme qui s'approchait chargé d'un sac à dos. C'était Manou. Il avait perdu son air juvénile qu'avait accusé sa maladie. Maintenant dans son visage blême, frappaient les poches mauves sous ses yeux fendus. Deux rides d'amertume près de sa bouche le faisaient ressembler à sa mère. Les cheveux noirs et brillants qu'il aurait voulu rejeter en arrière, retrouvaient très naturellement la raie imposée jadis par le peigne maternel.

« Rentre. »

Il monta dans sa chambre et vit la petite fille dans son lit. Sa mère l'attendait au bas de l'escalier. Elle le regarda descendre.

« Qu'est-ce que tu veux ? »

Troublée, elle avait failli l'interroger en patois. Pourtant, elle n'avait eu de cesse de ne lui parler jamais qu'en français. Pour ce fils unique qu'elle avait élevé seule après la mort du père, gazé pendant la Grande Guerre, elle avait rêvé le lycée de Castres. Mais ces amourettes d'enfants avaient tout gâché. Elle n'avait pas été vigilante. Jamais elle ne se le pardonnerait.

« Le chef de gare m'a dit pour la petite. Il ne l'a dit à personne d'autre. Les types de la milice sont venus. Ils ramassent tous les Juifs. »

Alors c'était ça, Mme Blanche était juive.

« Je sais. Ils sont venus chercher la Juive. Ils ont demandé si elle avait des enfants. J'ai dit que j'en savais rien. Et je ne sais pas pourquoi j'ai répondu ça. »

Manou sourit. Elle reconnut son fils.

« J'ai apporté la carte d'alimentation de ma fille, tu la donneras au chef de gare qui a des tampons, des cachets. Il trichera un peu sur la date de naissance. Moi, je pars. Plus aucune raison de rester ici. Tu diras que je suis retourné aux Chantiers de Jeunesse.

– Et tu pars où ?

– La figure des miliciens ne me revient pas. J'en connais d'autres qui pensent comme moi. Je vais les rejoindre. »

La mère Peyrac avait entendu parler des « maquis », elle était méfiante. On disait qu'à cause d'eux des gens dans des villages, dans des villes, avaient été pendus ou fusillés. Des otages, qu'on les appelait ces morts. Elle s'abstint de donner un avis. Dans la cuisine, elle décrocha un saucisson qui pendait entre deux peaux de lapin à une solive du plafond. La même vermine grouillait sur l'un et sur les autres. Elle essuya le saucisson, l'enveloppa dans un grand papier, puis dans un chiffon, et le tendit à Manou. Elle demanda seulement :

« Je pourrai compter sur toi pour le cochon? C'est en janvier. Ou bien faudra encore que je demande au gars Trigassier? »

Il sourit :

« Je ne te promets rien. On verra. »

En même temps qu'il rangeait le saucisson, Manou sortit d'une poche latérale de son sac la carte d'alimentation de Viviane. Sa main trembla quand il la tendit à sa mère. Elle la prit en redressant sa taille et en serrant les lèvres.

Chez la mère Peyrac

La mère Peyrac monta dans la chambre où dormait Rifkèlè. Elle ne voulait pas voir son fils partir. Elle était furieuse, elle n'aurait pas dû lui demander pour le cochon.

La valise de la petite était ouverte au pied du lit, à côté de ses galoches. Un peu de linge, quelques habits, une poupée en chiffons, un jeu de construction. Tout au fond, les vêtements et les chaussons dissimulaient une grande enveloppe. La femme en sortit la carte d'alimentation de Rifkèlè. La petite s'appelait Rébecca Guterman. Elle était née le 3 mai 1935. Dans l'enveloppe, des lettres envoyées par la Juive à sa fille. Toutes portaient une écriture différente. La mère Peyrac reconnut la lettre qu'elle-même avait rédigée à la demande de la morte. Entre les plis d'un feuillet, elle trouva un carré de tissu jaune.

Imprimée en noir, une grande étoile à six branches portait en son centre une inscription aux caractères tremblés. Elle déchiffra le mot, « juif ».

Le bruit du couvercle de la valise rabattu fit s'éveiller Rifkèlè. La mère Peyrac vit l'air égaré de l'enfant quand elle ouvrit les yeux. La petite bougea, se tourna vers le mur comme si elle voulait différer ce qu'instinctivement elle avait deviné. La femme s'approcha :

« Tu languis de ta maman? »

Rifkèlè répondit sans tourner la tête :

« Non. »

Elle ne comprenait pas ce que signifiait languir.

Puis elle regarda cette femme qui lui parlait :

« Où est ma maman?

– Viens, lève-toi. Tu vas te débarbouiller.

– Je voudrais aller au cabinet.

– Mets tes chaussons, je vais te montrer. »

La chambre était froide. Dans le lit, Rifkèlè avait eu bien chaud sous le gros édredon. Maintenant elle tremblait dans son pyjama. La femme lui tendit son manteau :

« Allons viens! »

Elles descendirent les escaliers, traversèrent la remise aux lapins, puis la porcherie. La fillette ne voyait rien. Les odeurs la surprirent. Quand elle entendit les grognements du cochon, elle eut peur et saisit la main de la femme qu'elle lâcha aussitôt. Au fond de la porcherie, elles franchirent une porte qui donnait dans la basse-cour. Jouxtant la porcherie, une petite cabane accotée au poulailler.

« Tiens, c'est là. Je te laisse. Il y a du papier. N'oublie pas de replacer le couvercle. »

Rifkèlè ouvrit la porte maintenue fermée par un loquet. Une grande caisse en bois, un grand trou rond fermé par un couvercle. Des feuilles découpées dans des journaux, enfilées sur un fil de fer accroché au loquet intérieur. Rifkèlè en prit quelques-unes pour faire des pliages. Elle avait froid. En sortant elle alla regarder les poules à travers le grillage. La présence de la petite fille fit s'esquisser une panique. Elle franchit la porcherie sans un regard pour le cochon repu. Elle avait peur. Elle ne vit même pas les lapins lorsqu'elle traversa la remise aux clapiers. A ce moment, parut la mère Peyrac, le tablier gonflé de foin, replié sur son ventre.

« Viens, on va faire manger les lapins. »

La remise réchauffée par la porcherie fit oublier le froid à l'enfant. Ses yeux s'habituèrent au clair-obscur et découvrirent le clapier et les lapins. Le mouvement perpétuel qui agitait leur nez la fascina. Elle voulut comme la mère Peyrac introduire de la nourriture dans une cage, mais le bond d'un animal vers sa main, la fit sauter en arrière. La femme jaillit à temps sur la porte de la cage pour la fermer.

« J'ai faim, dit la petite fille. Je voudrais faire ma toilette.

– Viens, on va d'abord faire manger les poules. »

La femme dans le poulailler se mit à crier d'une voix pointue qui fit sursauter Rifkèlè :

« Petit, petit, petit! P'tit, P'tit, P'tit! »

En même temps, elle prit dans le tablier replié des graines, les lança à la volée. Les poules les entourèrent. Cet assaut effraya l'enfant. Elle se mit à pleurer silencieusement et suivit dans la cuisine la femme qui ne s'aperçut de rien.

« Assieds-toi là. »

Et la logeuse montra au milieu de la pièce, une table recouverte d'une toile cirée. Mais Rifkèlè dit qu'elle voulait d'abord se laver les mains.

« La serviette de toilette est à ta mère. Prends-la pour t'essuyer. Le savon est sur l'évier, derrière la serpillière. »

La serviette, c'est ce qui restait de la Juive. Les gendarmes, après le suicide, étaient venus pour une enquête de routine. Ils avaient emporté tous les objets personnels.

La petite fille vint s'asseoir le dos à la cheminée. La mère Peyrac lui fit changer de banc :

« Tu vas attraper chaud. Va de l'autre côté. »

Puis elle saisit un grand pot de grès qu'elle posa près du foyer, installa un trépied parmi les braises, y posa une grande poêle plate, l'enduisit de saindoux et avec une louche puisa un liquide épais et blanc qu'elle répandit sur la poêle en la faisant tourner.

« Tu vas manger une crêpe avec la soupe. Ça te fera du bien. »

L'enfant n'avait rien mangé depuis un temps qu'elle n'aurait pas su préciser; il lui semblait avoir voyagé des jours et des jours. La mère Peyrac ne l'interrogea guère. Elle n'était pas curieuse, simplement embarrassée de cette présence.

Rifkèlè, plus tard, me raconta qu'au cours de ce premier repas elle s'imagina dans un livre, dans une histoire. Cette femme debout de l'autre côté de la table, près du feu, lui avait dit que sa maman était morte. Mais elle n'avait pas voulu la croire. C'était des mots de sorcière; sa maman allait réapparaître. Les bêtes que la femme avait nourries étaient des gens métamorphosés en animaux domestiques. Sa maman était parmi eux, sûrement. Ce lapin qui avait bondi vers elle, était peut-être sa mère. Quand la femme en noir avait posé sur la table un bol de soupe et une crêpe, Rifkèlè, persuadée que ces mets la transformeraient en un animal, ne refusa pas la nourriture, manger était peut-être le meilleur moyen pour retrouver sa maman. Bien qu'affamée, l'enfant déjeuna sans hâte, s'écoutant déglutir dans le silence de la cuisine.

La sorcière la regardait sans la voir, paraissait absente et murmura :

« Elle est lente cette gamine! »

Rifkèlè lui trouva un drôle d'accent, comme tout à l'heure quand elle lui avait demandé si elle languissait de sa mère. Qu'est-ce qu'elle avait voulu dire?

« Maintenant va te débarbouiller. N'oublie pas de laver le bol. Tu l'essuieras avec le torchon de la cuisinière. »

Puis la sorcière disparut en disant adieu, comme si elle allait ne jamais plus revenir.

Rifkèlè, maintenant seule, voulut se laver. Il lui fallait un gant de toilette. Elle hésita, elle n'était pas sûre de retrouver la chambre où elle avait dormi. En haut de l'escalier, dans l'entrebâillement d'une porte, elle reconnut sa valise au pied du lit, et fouilla dans ses affaires en vain : sa brosse à dents resta introuvable. Elle prit un gant de toilette et retourna dans la cuisine. L'eau était glacée sur l'évier. Elle n'arrivait pas à se réchauffer. Jamais elle ne s'était sentie aussi triste. Elle évita de penser à sa maman. Elle mit à sécher le gant et la serviette sur la barre de cuivre de la cuisinière et remonta s'habiller dans la chambre. Elle voulut refaire le lit. Il était si haut qu'il lui fallut grimper dedans pour parvenir à tirer les draps et à replacer la couverture et l'édredon. Elle chercha dans la valise le tricot vert qu'elle voulait mettre avec sa jupe verte. Maman avait tricoté et cousu ces beaux habits, Rifkèlè s'était abstenue de les porter pendant le long voyage, afin de ne pas les friper et d'être belle le premier jour qu'elles passeraient ensemble. Maintenant ça n'avait plus d'importance. Elle se demanda s'il lui fallait chausser ses galoches ou enfiler ses chaussons. Elle opta pour les galoches et fit le plus de bruit possible pour descendre les escaliers. Dans la cuisine toujours vide, on n'entendait que l'éclatement des tisons. Rifkèlè ne savait plus où elle avait posé les feuilles de papier prises au cabinet. Elle les aperçut sur un banc. Elle s'amusa à reconstituer une page du journal et obtint un morceau du gros titre : *La Dé-pêche.* Elle poursuivit son puzzle, mais les autres morceaux étaient disparates. Elle aurait bien voulu écrire à sa mère, mais maintenant elle ne savait plus quelle adresse inscrire sur l'enveloppe. Ça devenait pareil que pour son père; pendant des semaines Rifkèlè lui avait envoyé des lettres à Pithiviers et puis au cours de l'été, maman avait écrit chez Mme Meynard que ce n'était plus la peine.

Quand la mère Peyrac revint dans la cuisine, elle vit l'enfant occupée à lire les fragments du journal.

« Tu sais donc lire? Mais alors tu vas pouvoir aller chez sœur Sainte-Thérèse. »

L'enfant ne dit rien et commença des pliages avec les pièces de son puzzle, un bateau à une voile, un autre à voile double, une salière. La femme lui dit que c'était très joli ce qu'elle faisait.

« C'est mon père qui m'a appris.

– Où il est ton père? »

Elle ne savait pas. Sa maman lui avait écrit qu'il était parti de Compiègne en voyage, avant de partir il lui avait renvoyé sa montre, elle avait été triste. La mère Peyrac n'écoutait guère et n'entendit pas même la réponse à sa question. Il lui fallait garder cette petite. Pour la première fois, Manou lui imposait sa décision. Elle ne comprenait pas son propre consentement. Pendant que Rifkèlè déjeunait, elle était allée chez le chef de gare, un brave homme; pourtant il était protestant. Mais il fallait être un peu malhonnête pour trafiquer la carte d'alimentation de Viviane comme il l'avait fait : des ratures, des tampons. Viviane Peyrac était née maintenant, non plus le 15 février 1942, mais le 15 février 1935 et de J1 était devenue J2.

La femme sortit le tiroir du bas de la cuisinière pour en vider la cendre dans une grande caisse. Puis elle extirpa d'un placard un vieux numéro du *Pèlerin* d'une pile épaisse. Elle en arracha quelques feuilles pour nettoyer la poussière répandue autour de la caisse. Rifkèlè demanda si elle pouvait regarder le *Pèlerin.* C'est à ce moment que Mlle Jeanne heurta la porte extérieure de la maison; elle venait chercher le lapin. Les deux femmes se dirigèrent vers la remise. Rifkèlè les suivit.

La mère Peyrac s'approcha de l'une des cages et saisit un lapin par les oreilles. L'animal gigota avec frénésie. Elle l'attacha par les pattes de derrière à une patère fichée contre un mur, juste à côté du bûcher. L'animal gigota de plus belle. La femme en noir emprunta une bûche au tas de bois et en assena un coup sur la nuque de l'animal, instantanément il s'immobilisa. Elle ouvrit un canif, et avec la lame arracha un œil à la bête. Le sang jaillit sur la terre battue de la remise. Puis la femme fendit la fourrure et dépouilla la bête. Ainsi écorchée, elle évoquait un corps dénudé, dérisoirement paré de mitaines et de chaussettes. Rifkèlè avait tout vu, tout regardé. Là d'où elle venait, l'enfant avait souvent assisté à de pareilles exécutions. Lorsque Mlle Jeanne avait dit qu'elle venait pour le lapin, la fillette avait tout de suite compris : elle avait vu les dépouilles accrochées à la solive de la cuisine. Ce spectacle la fascinait. Elle savait les teintes gluantes, roses et bleutées de la fourrure retournée. Les mêmes que celles des viscères tombés sur la terre battue, quand la mère Peyrac avait fendu le ventre du lapin. Les deux femmes ignorèrent la présence de l'enfant plongée dans la contemplation de l'œil jeté sur le sol, dissimulé par les entrailles de la bête sacrifiée.

Quand Mlle Jeanne demanda qui était cette petite fille, la mère Peyrac prétendit que c'était Viviane, Viviane Peyrac, la petite-fille de son beau-frère. Elle habitait Paris et venait passer quelque temps à la campagne. Rifkèlè entendit ce mensonge; cette sorcière lui avait menti ce matin en prétendant que sa maman était morte. C'était une ruse. Mais elle, Rifkèlè, serait aussi rusée; comme Hansel et Gretel, elle tromperait la sorcière et retrouverait sa maman. Elle retourna dans la cuisine, emprunta quelques numéros du *Pèlerin* dans le placard et fit mine de lire. En réalité, elle essayait de comprendre pourquoi on la faisait passer pour une autre; peut-être était-ce une petite fille déjà tuée, ou transformée en lapin par exemple. Justement ce lapin qu'on dépeçait.

Mlle Jeanne pénétra dans la cuisine, tandis que la mère Peyrac nettoyait la remise. Elle s'approcha de Rifkèlè.

« Bonjour Rifkèlè », murmura-t-elle. L'enfant la regarda droit dans les yeux et dit qu'elle s'appelait Viviane Peyrac. Mlle Jeanne sourit et sortit de son sac une boîte jaune, demanda à Viviane de tendre la main et secoua dans la paume de la fillette une dizaine de cachous qui glissèrent en vrac du trou rond de la boîte.

La mère Peyrac apparut avec les morceaux du lapin sur une planche. Elle les enveloppa dans des feuilles de journal. Mlle Jeanne paya, salua et franchit la porte, envoyant de la main « un baiser pour Viviane ».

« Au revoir madame. »

C'était sûrement une fée cette dame, elle avait deviné qui était Rifkèlè. Les cachous certainement la protégeraient des maléfices de la sorcière.

L'enfant passa la matinée dans la cuisine à lire les aventures de *Plic et Ploc* rencontrées au hasard des numéros du *Pèlerin.* Peu de temps après le départ de Mlle Jeanne, elle sursauta, quelque chose avait frôlé ses jambes et venait de bondir près d'elle sur le banc. Un chat tigré, efflanqué, le dos rond comme s'il voulait l'élever à la hauteur de sa queue dressée, vint frotter son flanc contre le bras de Rifkèlè avec un miaulement languide. La fillette esquissa un geste de tendresse, l'animal s'enfuit sous le buffet. Elle essaya par des miaous séducteurs de le faire sortir de sa cache. En vain. Lorsque la porte de la cuisine s'ouvrit pour laisser passer la mère Peyrac, le chat jaillit de sous le buffet et fila. La femme hurla qu'il ne fallait pas laisser cette sale bête entrer dans la cuisine, que c'était un chat voleur et qu'elle le tuerait s'il remettait ses pattes par ici. La violence de la mère Peyrac terrifia Rifkèlè. Elle se demanda qui était en réalité ce chat pour susciter une telle rage. Qui avait été ainsi métamorphosé? La femme lui lança :

« Et toi? Qu'est-ce que je vais faire de toi? »

L'enfant en eut la respiration coupée.

Quelqu'un cogna à la porte. Rifkèlè suivit la femme en colère lorsqu'elle alla ouvrir. Elle songea un instant à se sauver. L'homme qui avait frappé dit être venu pour parler de Viviane Peyrac, et il désigna l'enfant. Cet homme, elle ne l'avait jamais vu. La magie continuait. Il était un complice de la sorcière. Rifkèlè le scruta méfiante.

« Qu'est-ce que vous voulez? Ça ne vous regarde pas, grommela la mère Peyrac.

– Je voudrais vous aider dans votre bonne action madame Peyrac. Permettez-moi d'entrer. Je suis monsieur Van Dekerk, Mlle Jeanne m'a dit. »

Il avait un accent comme la Juive mais lui, on comprenait tout ce qu'il disait. Alors, elle le laissa pénétrer dans la cuisine.

Il dit que la petite devait rester Viviane pour un temps, qu'il fallait l'envoyer à l'école. Au moment de partir il déposa quelques billets bleus sur la table, lui aussi envoya un baiser de la main « pour Viviane ». Il promit de revenir.

Rifkèlè, enjeu d'un combat mystérieux entre des sorcières, des fées, des magiciens, reprit la lecture des aventures de *Plic et Ploc.* Elle avait lu dans des livres, l'histoire de princesses qui se tirèrent de situations dangereuses en s'obligeant au silence pendant des jours et des jours. Elle ferait comme les princesses, elle resterait muette.

Dans la cuisine on n'entendait que le choc régulier d'une goutte sur la pierre à évier. Rifkèlè se surprit à penser : « Plic-ploc-plic-ploc ». Ça devenait agaçant.

« Viens, on va mettre la table maintenant. »

Rifkèlè sursauta. Le calme était rompu. Elle se leva et suivit la femme qui posa à côté des billets qu'elle n'avait pas touchés, deux assiettes, deux bols et des couverts. Rifkèlè les plaça comme on le lui avait appris dans les diverses cuisines où il lui était arrivé de manger. Pendant ce temps, la femme grimpa sur un tabouret, saisit un jambon, en coupa deux tranches. Ses gestes étaient calmes, mécaniques. Rifkèlè ne la quittait pas du regard. Elle la vit remplir les deux bols de la soupe qui mijotait depuis le matin dans le chaudron accroché à la crémaillère. Quand enfin elle vint s'asseoir, elle fit signe à Rifkèlè de se mettre en face et de manger. Après le repas, elles iraient à l'école. Elles verraient Mlle Calas. Rifkèlè se mordit la langue pour ne pas demander qui était Mlle Calas. Elle mangea avec moins d'inquiétude. Les choses allaient s'arranger pour elle. Il suffisait d'être patiente. *La Belle au bois dormant* avait bien attendu cent ans. Cent ans ça devait être long. Combien de jours à dormir? de nuits? Combien de temps lui faudrait-il à elle pour se réveiller? Tout ce qui lui arrivait était un rêve. Rien de ce qu'elle vivait n'était vrai. Elle était dans le rêve. Il allait se terminer dès qu'elle retrouverait sa mère. Mais il ne finissait pas. Et maintenant, cette bataille des magiciens, des fées dans le rêve.

La femme et l'enfant rangèrent la cuisine. La mère Peyrac dit à Rifkèlè d'aller chercher son manteau. Elle l'accompagna dans la chambre. La petite aperçut en face de son lit une porte fermée. La femme en franchit le seuil et réapparut enveloppée dans un châle de laine noire, aux franges longues et épaisses qui rappelèrent à Rifkèlè les chenilles velues, contemplées pendant des heures, dans le jardin de la maison d'où elle venait. Elles descendirent l'escalier bruyamment. Les sabots de la mère Peyrac claquaient sur chacun des degrés, et Rifkèlè s'amusa à cogner le talon de ses galoches contre la partie verticale de chaque marche, ça faisait un drôle de bruit. La femme semblait ne rien entendre. Dehors il faisait gris et lourd.

« Il va neiger », dit-elle en dirigeant son visage vers le ciel, tandis que tournait la clef dans la serrure. Le regard de Rifkèlè découvrit le pont qui traversait la rivière, le gros arbre solitaire, et une borne de pierre plantée d'une croix de fer noire. Tout ici lui parut triste. Elle eut envie de pleurer. La femme dans son châle noir avait pris la route qui partait sur la gauche de la maison. Elle marchait, rigide, la tête haute, sans se préoccuper de l'enfant. La petite suivait. Elle laissa couler ses larmes un instant, puis essuya ses yeux avec la manche de son manteau. Elle sentait qu'elle aurait pu avoir de gros sanglots, mais elle n'osa pas et pressa son allure pour marcher à la hauteur de la mère Peyrac. Elles arrivèrent devant une petite porte brune, percée dans une muraille assez haute. Derrière, bien en retrait, on voyait s'élever des bâtiments de trois ou quatre étages qui dépassaient toutes les maisons avoisinantes.

« C'est là », dit la mère Peyrac et elle tourna la poignée de la porte en vain.

« Tiens, l'école est fermée. D'habitude, c'est ouvert même le jeudi. Viens, on va passer par l'autre côté. »

Elles poursuivirent leur marche, débouchèrent sur une place, la rue y descendait en pente douce.

« Ici c'est la place de la Fontaine, regarde. »

Un bassin circulaire était alimenté en eau par quatre bonshommes tout nus, au faciès hilare, qui tenaient à pleines mains leur sexe et pissaient dans le bassin.

La mère Peyrac descendit la place par la rue en pente et s'arrêta devant une belle maison qui la bordait. C'était notre Maison. Elle saisit le heurtoir en forme de main, et cogna à la porte.

Qu'est-ce que mentir?
Est-il permis de mentir?

QUAND sœur Saint-Denis ouvrit, je fus déçu : la mère Peyrac, plus noire que jamais dans son châle épais! Elle s'effaça, et Rifkèlè m'apparut. Je reconnus immédiatement la fille de la photo. La femme voulait voir la mère supérieure. Sœur Saint-Denis introduisit les visiteuses dans la cuisine. Mlle Calas était en conversation avec le père d'une pensionnaire, il fallait patienter. Rifkèlè marchait en arrière. Je l'attendis. Elle me demanda avec son accent de Parisienne, comment je m'appelais.

« Poupou, mon vrai nom c'est Joseph, mais sœur Saint-Denis et les autres m'appellent Poupou. Et toi, tu t'appelles Rifkèlè.

– Moi je m'appelle Viviane Peyrac. Qui c'est sœur Saint-Denis? Qu'est-ce que c'est une mère supérieure?

– Répète, comment tu t'appelles?

– Viviane Peyrac.

– C'est pas vrai. Elle est morte.

– C'est pas vrai. Elle est pas morte. C'est ma mère qui est morte, Mme Peyrac l'a dit.

– Toi tu es Rifkèlè, je te reconnais de la photo. Viviane Peyrac, elle est morte, même que je suis allé à son enterrement.

– C'est bien les enterrements, hein? Mais c'est pas vrai que je suis morte; c'est ma mère qui est morte. Qui c'est sœur Saint-Denis?

– C'est la sœur qui est avec la mère Peyrac.

– Pourquoi tu dis la mère Peyrac? C'est pas ta mère. Et c'est la sœur de qui la sœur que tu dis? »

Par la suite, je vis souvent Rifkèlè se taire en présence des adultes. Elle donnait l'impression de ne pas daigner parler devant eux. Avec moi, elle fut intarissable. Elle n'eut de cesse de remettre en question tout ce qui, jusqu'alors, m'était apparu comme un monde harmonieux. Cette manie de saisir un mot, de le sortir de son contexte, de le dépouiller de son sens, donna souvent le vertige à l'enfant que j'étais. Le soir même, je demandais à sœur Saint-Denis pourquoi elle, sœur Sainte-Thérèse et sœur Sainte-Odile étaient des sœurs, sans êtres filles des mêmes parents? Et pourquoi la mère Peyrac appelait ma grand-tante la mère supérieure? Mon amie m'expliqua qu'au sein de leur communauté, elles étaient unies dans le même amour pour Jésus, comme des sœurs. Sœur Sainte-Odile, la plus âgée d'entre elles, les dirigeait comme une mère dirige sa famille. Pour « supérieure », elle ne savait pas m'expliquer, c'était comme ça qu'on disait, par habitude.

Dans la cuisine, la mère Peyrac raconta l'arrivée de Rifkèlè et les visites reçues au cours de cette matinée. Je ne dissimulais pas mon attention. Rifkèlè semblait ne rien entendre, attirée par une statuette de saint Joseph posée sur le buffet. Quand la mère Peyrac eut terminé son récit, sœur Saint-Denis l'accompagna dans la salle de l'Asile où sœur Sainte-Odile avait coutume de recevoir ses visiteurs. Je demeurai seul avec Rifkèlè.

« Le père de Jésus, il est chauve. Mon père à moi, il

a de grands cheveux noirs presque bleus; quand il se penche sur sa table pour couper le tissu, ses cheveux tombent sur ses yeux. Mon père, il me porte sur ses épaules. Il est très grand, et quand il me porte, je suis la plus grande. Comment il est ton père à toi? »

Je ne savais pas. Je le lui dis. Elle haussa les épaules.

« Et ta mère, pourquoi elle est supérieure?

– Ce n'est pas ma mère, c'est ma grand-tante.

– C'est quoi une grand-tante? Pourquoi tu ne dis pas une grande tante?

– Non c'est ma grand-tante. »

Nouvel haussement d'épaules.

« Où elle est ta mère? »

Devant mon visage fermé, Rifkèlè me demanda si ma mère, à moi aussi, était morte.

« Tu sais, moi je fais semblant de le croire, mais je sais bien que ma mère elle est pas morte, elle aussi elle fait semblant; Mme Peyrac est une sorcière, elle veut me transformer pour que je devienne un lapin. Alors je reste gentille, je ne la dérange pas. Mais je me réveillerai, et le rêve sera terminé. »

Dès que sœur Saint-Denis revint dans la cuisine, Rifkèlè se tut.

« Tu vas venir à l'école ici, tu es contente?

– Oui madame. »

Sœur Saint-Denis sourit.

« Je sais que tu t'appelles Rifkèlè, mais ici on t'appellera Viviane. »

La mère Peyrac reparut accompagnée de ma grand-tante. Je lui trouvai le visage moins dur, l'air moins effrayant, mais toujours impassible. Sœur Sainte-Odile s'assit près de la petite. Pour la première fois, je la vis vieille, cassée, guère plus haute que la fillette ou que moi-même, son visage tout plissé, triste.

« Mme Peyrac m'a dit que tu savais lire. Dans quelle classe étais-tu?

– Je ne sais pas.

– Mais tu allais à l'école?

– Oui, avant, il y a longtemps. Quand j'étais chez Mme Meynard, j'y allais pas.

– Pourquoi?

– Je ne sais pas. Elle m'y a pas amenée. Il y a des jours, on allait à l'herbe aux lapins. Des jours, on allait à l'enterrement. Souvent, on allait au cimetière, même quand il y avait pas d'enterrement. Chez les jumelles du jardinier du château non plus, j'allais pas à l'école.

– Quelle jumelles?

– C'était après Mme Meynard.

– Tu as envie de venir en classe ici? »

Elle ne répondit pas. Elle me regarda, puis murmura très vite :

« Je voudrais aller dans la même école que Poupou. »

La mère Peyrac sourit.

« L'école de Poupou est ici, et à midi tu mangeras avec Poupou.

– Et pour dormir?

– Pour l'instant, tu retourneras chez Mme Peyrac. Tu es une grande fille et tu vas être très attentive. »

Rifkèlè prit un air méfiant. Elle scrutait Mlle Calas avec une attention qui confinait à l'hostilité.

« Désormais pour tous, tu t'appelles Viviane Peyrac. Mme Peyrac est ta grand-tante; elle est la belle-sœur de ton grand-père, chez qui tu habites à Paris. Il t'a envoyée passer quelque temps à la campagne. As-tu compris? Ton vrai nom doit rester un secret.

– Oui madame.

– On dit : oui Mlle Calas. »

Rifkèlè ne rectifia rien. Elle songeait qu'elle aussi avait maintenant une grand-tante.

« Tu appelleras Mme Peyrac, « ma tante »; tu as bien une tante à Paris. Comment l'appelles-tu?

– Tante Esther. »

J'écoutais, stupéfait, Mlle Calas. Elle expliquait patiemment à la petite fille qu'il fallait mentir. Je regardais hébété sa douceur, son sourire pour ne pas effrayer Rifkèlè, pour la convaincre. Exactement le même air que devait avoir le Diable séducteur dénoncé à l'Asile.

Je me souvins des leçons de catéchisme, matinales et quotidiennes : *« Mentir, c'est parler contre sa pensée avec l'intention de tromper. Il n'est jamais permis de mentir, pas même pour s'excuser ou pour rendre service. »* J'étais bouleversé.

Les visiteuses parties, je quittai moi aussi la cuisine, et je montai dans ce qui me tenait lieu de chambre.

Jusqu'à mon entrée dans la classe des grandes, j'avais dormi sur un lit de camp dressé dans un coin de la cellule chaulée de ma grand-tante. Le matin, à la statue de la sainte Vierge posée sur une console, je demandais de protéger ma journée. Car je savais que si à ma droite veillait mon ange gardien, à ma gauche le malin me guettait. Le combat de ces deux invisibles, dont j'étais l'enjeu, m'effrayait. J'imaginais mon ange pareil à moi, un petit garçon-ange, capable de succomber aux grimaces du diablotin placé à ma gauche, dans un moment de distraction, pendant une récréation par exemple. Je vivais, quand j'y pensais, dans la terreur d'une défaillance de l'ange.

Sur une tringle qui traversait la chambre dans toute sa largeur, une tenture rouge partageait la pièce en deux. Cerné de blanc et de rouge, j'imaginais que se poursuivait, pendant mon sommeil, la lutte entre l'ange et le diable.

Depuis que j'étais dans la classe de sœur Sainte-Thérèse, je dormais dans le dortoir des pensionnaires.

Un coin isolé par un jeu de tringles et de rideaux constituait le réduit de sœur Saint-Denis. Un autre jeu permit d'aménager un petit espace pour mon lit et une table de chevet, où fut posé le livre de catéchisme, confié par sœur Sainte-Thérèse. Elle m'avait conseillé d'en lire un peu chaque jour, bien que je n'eusse pas encore l'âge de la catéchèse. Un livre broché, épais, à couverture jaune, imprimé en caractères noirs et en caractères rouges. J'aimais en lire les questions et les réponses. Il était l'inventaire de toutes les interrogations possibles, celui peut-être de toutes les réponses que je cherchais. Je le lisais au hasard des pages.

Cette fois, ma lecture eut un but précis, je me mis en quête du mensonge. Ma grand-tante m'avait enseigné comment utiliser la table des matières et je savais que le huitième commandement interdisait de mentir. *Tu ne mentiras pas – soixantième leçon,* en gros caractères rouges.

– *Qu'est-ce que mentir?*

– *Mentir, c'est parler contre sa pensée avec l'intention de tromper.*

C'était pourtant ce que conseillait ma grand-tante à Rifkèlè.

– *Est-il permis de mentir?*

– *Non, il n'est jamais permis de mentir pas même pour s'excuser ou pour rendre service.*

Alors? Toutefois une note précisait :

« *Ce n'est pas mentir que de refuser la vérité en certaines circonstances :*

1° *Pour conserver un secret qu'on ne doit pas livrer.*
Ça, c'était pour Rifkèlè, elle devait mentir puisque Mlle Calas avait exigé que son vrai nom restât secret.

Par exemple un médecin, un notaire, doivent garder les secrets de leurs clients; le confesseur doit garder le secret de la confession;

2° *Pour défendre sa patrie contre un ennemi injuste;*

3° *Pour se défendre soi-même contre un malfaiteur quand on ne peut sauvegarder sa vie ou ses biens autrement.*

Si j'avais trouvé de quoi excuser les mensonges de Rifkèlè, rien ne justifiait ceux de Mlle Calas dont sœur Saint-Denis et la mère Peyrac se faisaient les complices.

Je retournai dans la cuisine, j'avais besoin d'interroger mon amie qui savait me rendre tout, aussi simple que sa propre simplicité; puis je me rappelai sa connivence avec le mensonge.

Les trois religieuses assises autour de la table, me regardèrent interrogatives. Dans ma déception et mon désarroi, j'éclatai en sanglots. Cela ne m'était jamais arrivé avant l'enterrement de Viviane. Ma grand-tante et mon amie en furent bouleversées. Même sœur Sainte-Thérèse sembla s'attendrir. Alors Poupou expliqua. Peu de choses à vrai dire : il savait que cette petite fille s'appelait Rifkèlè, s'il l'appelait Viviane il commettrait un péché. J'osai avouer ma terreur de l'enfer auquel le mensonge condamnait. Dans le catéchisme, il était défendu de mentir.

« As-tu bien lu ce qui était écrit? demanda sœur Sainte-Thérèse. Va donc chercher le livre. »

Quand je l'apportai, elle l'ouvrit immédiatement à la page dont la première question était : *« Est-il permis de mentir? »* Puis elle me fit lire la note qui suivait l'interdiction.

Elle m'affirma que Rifkèlè ne pouvait sauvegarder sa vie qu'au prix de notre mensonge à tous :

« Tu dois l'appeler Viviane. »

Sœur Saint-Denis avait tiré de l'intérieur de l'une de ses manches un mouchoir dont elle m'essuya les yeux et le nez, puis elle m'emmena dans la lingerie. Je m'assis sur un tabouret devant la table à repasser, et la regardai amidonner les coiffes blanches qui emprisonneraient dans leur rigidité les visages des trois religieuses de la petite communauté. A Cosne-Ferrou, il y avait un hospice tenu par des sœurs de Saint-Vincent-de-Paul, quelques élèves de sœur Sainte-Thérèse y étaient pensionnaires. Je connaissais bien les cornettes des Filles de la Charité. Elles bruissaient le dimanche à la messe et aux vêpres. Comme l'hospice donnait sur la même rue que la pâtisserie de ma babiole dominicale, je m'arrangeais toujours pour que quelque religieuse de Saint-Vincent-de-Paul nous précédât. J'aimais voir les ailes esquisser un mouvement d'envol, vite réprimé par le mouvement de la marche. Sœur Saint-Denis connaissait mon intérêt pour cette coiffure. Lorsqu'elle repassait en ma présence les guimpes de la communauté, elle se félicitait toujours d'avoir bien choisi l'ordre dans lequel elle avait prononcé ses vœux :

« Tu te rends compte Poupou, du travail que j'aurais eu si j'avais décidé de devenir une fille de Saint-Vincent-de-Paul! »

Cette fois-ci la plaisanterie ne m'amusa pas :

« Qui veut tuer Rifkèlè? Pourquoi est-elle séparée de sa maman?

– Je ne sais pas. Ce matin, à Cosne-Ferrou et dans les environs, on a raflé presque tous les Juifs qui y habitaient. Si Rifkèlè était arrivée quand sa maman l'attendait, aujourd'hui on les aurait sûrement emmenées toutes les deux avec les autres.

– Pourquoi des gens veulent du mal aux Juifs? Qu'est-ce qu'ils ont fait? »

Sœur saint-Denis ne répondit rien, absorbée à humecter du linge très sec.

Il faisait presque nuit. La religieuse ne s'en était pas aperçue. Malgré sa présence, j'avais peur dans cette semi-obscurité. Je me levai pour faire de la lumière. L'ampoule, sous l'abat-jour conique, diffusait une lumière crue qui se répandait sur les murs nus et les piles de linge blanc. Les robes noires des religieuses pendaient sur une tringle. Tout me parut lugubre et glacé.

Viviane ou Rifkèlè?

Au cours du dîner, Mlle Calas raconta la visite de la mère Peyrac avec sa petite-nièce Viviane, et sœur Sainte-Thérèse s'adressa spécialement à moi : la fillette viendrait à l'école à partir de lundi, elle partagerait le banc de Poupou. La mère Peyrac le lui avait assuré, Viviane lisait couramment.

Rifkèlè à côté de moi! Pendant tout le repas j'eus peur. Il me faudrait donc mentir tous les jours; et chaque soir, lorsque je remettrais mon âme entre les mains de Dieu, je serais en état de péché mortel! De nouveau j'éclatai en sanglots. Alors sœur Sainte-Odile dit l'*action de grâces*. Poupou était très fatigué, elle l'accompagnerait jusqu'à son lit elle-même.

Comme chaque soir, j'allai faire un bout de toilette dans un cabinet attenant à la chambre de ma grand-tante, puis je la rejoignis. Elle était assise sur mon lit et m'attendait en disant son chapelet.

« Vois-tu Poupou, le mensonge qui est exigé de toi n'est pas un péché. »

Je pleurai de plus belle. Combien de fois ma grand-tante et ses histoires édifiantes ne m'avaient-elles pas mis en garde contre les séductions du Malin. Il n'hésitait pas à prendre des formes familières pour perdre le malheureux dont il voulait circonvenir l'âme. Et si ma grand-tante n'était qu'une forme de ma grand-tante? Et si elle était une supercherie du Démon? Je fis un grand signe de croix, et ma grand-tante était toujours là, assise près de moi. Elle n'était donc pas une créature du Diable. Elle me fit m'agenouiller, s'agenouilla près de moi et ensemble nous dîmes « ma » prière, celle que nous avions inventée ensemble, à l'Asile. Je me glissai dans mon lit et je remis mon âme entre les mains de Dieu. Seul dans le noir, mes craintes me reprirent. Chaque fois que j'appellerais Rifkèlè, Viviane, je dirais un mensonge. Je décidai d'offrir mes craintes en sacrifice pour Jésus dans sa crèche. J'acceptai de me charger du secret de Rifkèlè. Je l'appellerai Viviane, mais je la penserai toujours Rifkèlè. Jamais je ne la trahirai; pour sa sauvegarde, je voulais bien passer quelque temps au Purgatoire.

***

Très vite, toutes les grandes surent qu'une nouvelle fille arrivait dans la classe. Son nom ne surprit personne. Il y avait à l'école tant de Cros, de Pujol, de Rouquette, de Calas, d'Escande, de Bonafous, pas même cousines et dont parfois les prénoms étaient identiques! Alors qu'il y eût plusieurs Viviane Peyrac ne surprit personne. Toutefois, l'identité de nom et de prénom me troublait, comme m'inquiétait l'existence d'enfants jumeaux. Selon moi, l'un était un véritable enfant, et l'autre un esprit maléfique. Par subterfuge, il avait pris l'apparence d'un innocent nouveau-né. A mon gré, l'apparence identique valait l'identité de nom et de prénom. Ma certitude était que seul, l'un des porteurs de noms semblables y avait droit, les autres étaient des imposteurs – voire des démons. Aussi, me tenais-je à distance de tous les homonymes quelle que fût leur gentillesse à mon égard. De même me gênaient les multiples identités. Ainsi, lorsque les parents de sœur Saint-Denis venaient parfois rendre visite à leur fille dans sa cuisine, la mère l'appelait « Mimi » et le père « Maryse ». Mimi bien sûr ressemblait à Maryse, mais je ne retrouvais jamais sœur Saint-Denis dans la fille de M. et Mme Sirven. Ma grand-tante ne m'était pas la même personne, selon que je l'appelais sœur Sainte-Odile ou la pensais Mlle Calas. Mlle Calas me faisait peur. D'ailleurs, je savais Poupou différent de Joseph; Poupou était vraisemblablement un gentil garçon puisque lorsque sœur Sainte-Thérèse me jugeait inattentif, elle lançait de sa chaire un « Joseph! » sec, dur, qui cingla, fit pleurer Poupou la première fois. Ce nom ne cessa jamais de me blesser et de me faire rougir quand elle m'interpellait ainsi devant toute la classe. Peut-être mon ange gardien s'appelait-il aussi Poupou, tandis que Joseph était le nom de mon diable gardien?

Je me demandai comment serait Viviane et comment serait Rifkèlè.

Ce vendredi qui précéda l'arrivée de la nouvelle dans la classe, parut interminable à Poupou, et Joseph fut maintes fois rappelé à l'ordre par sœur Sainte-Thérèse. Dans un mouvement agacé de ses mains, une de ses manches accrocha la longue badine qui lui servait de férule. Elle vint me frapper sur la tête. Je pris ce rappel à l'ordre, accidentel et douloureux, pour un geste délibéré. Jamais encore cette badine ne m'avait effleuré. Dolent et mortifié, je sentis mes yeux se gonfler de larmes dont j'aurais voulu qu'elles ne jaillissent pas, je sentis le feu sur mon visage, je me dissimulai derrière la planche de mon pupitre. J'étais déjà en enfer.

Comme chaque semaine, le samedi matin était consacré au chant. Les trois divisions de la classe chantaient ensemble. Trois préposées tiraient l'harmonium jusque près de la chaire. Sœur Sainte-Thérèse s'asseyait sur un tabouret et ses doigts couraient sur les claviers et les touches. Je regardais ses mains blanches avec leurs ongles roses, dans les manches noires. Elles étaient bien plus lisses que celles de Mlle Calas ou de sœur Saint-Denis dont les doigts courts et les ongles carrés me rappelaient ceux de Marinette Rouquette. Marinette, assise derrière moi, était déjà vieille pour la division, elle avait presque douze ans; parfois elle se penchait sur mon pupitre sous prétexte de vérifier mon travail, j'entendais alors sa grosse voix et je ne voyais que ses larges mains.

Quand sœur Sainte-Thérèse s'installait à l'harmonium, les vocalises commençaient. Après nous chantions.

Ce matin, l'histoire contée par la chanson me rendit mélancolique. Marinette perçut ma tristesse et interrompit toute la classe de sa grosse voix : « Poupou a du chagrin! »

La récréation de dix heures m'épargna l'attendrissement général et les questions. Je filai dans la cuisine de sœur Saint-Denis. De retour dans la classe, je priai avec mes compagnes pour « notre chef, le maréchal Pétain ». Puis, j'écoutai la leçon d'histoire sainte. Sœur Sainte-Thérèse racontait comment Abraham avait envoyé son serviteur Éléazar chercher une épouse pour son fils Isaac. Le serviteur avait choisi Rébecca, parce que la jeune fille avait su étancher sa soif près du puits. Sœur Sainte-Thérèse dans ce moment du samedi cessait d'être la maîtresse : elle *racontait* une histoire y prenant un plaisir apparent qui me charmait, comme me ravissaient les récits de la mythologie grecque. Je me souviens de l'angoisse qui me noua le cœur lorsque je compris l'erreur commise par la mère d'Achille quand elle le tint par la cheville pour le plonger dans les eaux du Styx. Et la fascination éprouvée en écoutant l'histoire d'Œdipe n'était pas moindre que celle exprimée par la religieuse.

Tout ce qui se racontait, me berçait, me confortait dans mon sentiment de sécurité; entre sœur Sainte-Odile et sœur Saint-Denis, et même avec sœur Sainte-Thérèse, ma vie se déroulait sans heurt, j'échappais à toutes les calamités décrites dans les livres.

Après le repas de midi, j'accompagnai sœur Saint-Denis à la buanderie. Je lui racontai l'histoire d'Éléazar et de Rébecca.

« Rébecca est aussi le nom de Rifkèlè. C'est le vrai nom, comme Joseph est le vrai nom de Poupou. »

Je n'y avais jamais pensé, mais si Joseph était le « vrai nom », Poupou était le « faux nom ». Moi aussi je portais un nom-mensonge? J'eus le sentiment que ma vie perdait de sa simplicité.

L'arrivée de la fille de la Juive, dont je ne savais si je devais la penser Rifkèlè, Viviane ou Rébecca, m'enferma dans un lacis compliqué, bien qu'invisible. Je pensai au pauvre magicien dupé par la perverse fée Viviane. Je devins triste. Sœur Sainte-Thérèse n'avait sûrement pas raconté sa badine tombée sur mon crâne, et vraisemblablement n'en dirait rien. Mais moi je me savais coupable. Si la férule m'avait heurté, il existait une raison, on n'est jamais frappé pour rien. Cette baguette sur ma tête me punissait déjà des mensonges par omission que j'avais commis et que je m'apprêtais à commettre.

Les angelots des images pieuses

Le lendemain, à la grand-messe, je vis la mère Peyrac assise sur le dernier banc de l'église, comme le jour de l'enterrement de la vraie Viviane. Rifkèlè l'accompagnait. Je croisai le regard de la petite fille tassée sur sa chaise, décomposée par le froid de l'église. J'allai m'asseoir avec sœur Saint-Denis à nos places habituelles; sans arrêt je tournais la tête pour regarder vers le fond. Alors sœur Saint-Denis posa doucement sa large main sur ma nuque. Je fus comme soulagé de je ne sais quelle inquiétude et je cessai de m'agiter.

Après la messe, comme chaque semaine nous achetâmes une babiole du dimanche chez Hélène Vidal qui la gardait pour nous dans un joli sac en papier.

Mes galoches cloutées crissaient sur le sol glacé. J'avais remonté mon passe-montagne jusqu'à mes narines et la buée de ma respiration le mouillait à l'endroit de ma bouche. Sœur Saint-Denis emmitouflée dans un châle noir ressemblait aux vieilles du pays. Après l'enterrement de Viviane, il avait neigé trois jours durant. Puis le temps s'était réchauffé. La neige sur les toits fondait lorsque le froid revint : de longs morceaux de glace coulaient des toitures ardoisées. Le bourg en était comme illuminé, des rayons de lumière se brisaient dans les glaçons dentelés. Sur l'esplanade devant l'église, les footballeurs habituels avaient déblayé le sol. Avec la neige ils avaient construit un gros homme rond.

***

A la Maison, le repas de la mi-journée du dimanche se prenait d'ordinaire dans le silence. Souvent les pensionnaires avaient communié, alors elles s'attablaient avec gravité dans leurs habits du dimanche, bien plus austères que le jour de leur communion solennelle où les avaient surtout préoccupées les images pieuses à distribuer. Cependant, ce dimanche le repas fut très animé, toutes les filles parlaient de Viviane Peyrac. Claudette Pujol était allée une fois au cinéma à Castres, elle affirma que Viviane ressemblait à Shirley Temple; selon moi elle ressemblait à saint Jean-Baptiste. Toutes me regardèrent et éclatèrent de rire.

L'après-midi, j'accompagnai sœur Saint-Denis aux vêpres. A la sortie de l'église, nous rejoignîmes ses parents. Elle était autorisée à les accompagner jusqu'au gros tilleul dont la mère Peyrac s'était octroyé la jouissance. Le pouvoir de ma grand-tante d'étendre à son gré les bornes de la clôture de notre Maison me la rendait toute-puissante, omnisciente et omniprésente. Elle pouvait accorder selon son bon vouloir le droit de franchir le seuil de la Maison, de pousser les sorties jusqu'à des limites que nul ne transgressait. Sous la tutelle de sœur Saint-Denis, je bénéficiais des mêmes autorisations.

J'aimais bien les parents de sœur Saint-Denis. Ils ressemblaient à des grands-parents. Je les appelais monsieur et madame Sirven. Sœur Saint-Denis ne les nommait pas. La mère s'emmitouflait dans un châle semblable à celui de sa fille. Ses pieds comme ceux de son mari étaient chaussés de sabots plus bruyants que mes galoches cloutées. Le père connaissait mon envie de sabots; il m'avait promis qu'un jour je viendrais le regarder travailler et, quand je serai grand, je les fabriquerai moi-même.

Nous quittâmes les parents Sirven devant la porte de la mère Peyrac. Cela faisait partie des usages dominicaux. Parfois la femme, comme par enchantement, surgissait à nos côtés. Noire apparition, elle marchait un instant près de nous en silence. Elle sortait de sa poche des cerises qu'elle me tendait, ou des noisettes, ou des châtaignes, selon la saison. Arrivée au niveau du sentier qui menait à la maison de Denise, elle s'arrêtait :

« Bon, ben adieu... »

Puis rebroussait chemin, toujours silencieuse et noire.

Elle apparut dans l'encadrement de sa porte alors que nous venions de prendre congé des parents de sœur Saint-Denis. Le chat fila entre ses jambes et lui arracha un juron en patois dont la sonorité, chaque fois que je l'entendais, me figeait le sang :

« Mé damné! »

La violence de l'accent sur la première syllabe de « damné », révélait la mesure de la colère. Je ne compris le sens de ce blasphème contre soi-même que bien plus tard, mais je le sentis toujours terriblement condamnable.

La femme noire marcha un instant près de nous. Je me demandais ce qu'elle avait fait de Rifkèlè. Elle m'ignora. Nous avançâmes en silence sous le pont du chemin de fer; puis sa voix s'éleva, sourde et revendicatrice :

« Ce n'est pas tout ça, mais cette petite elle n'est pas catholique. Elle connaît un peu les prières, mais elle n'est pas catholique. C'est elle qui me l'a dit, sa mère n'a pas voulu qu'on la baptise. »

Sœur Saint-Denis écoutait.

« Il faut le dire à Mlle Calas. »

S'il fallait le dire à Mlle Calas, c'était grave. Je me souvins de conversations anxieuses dans la cour, du côté des grandes; elles concernaient des frères ou des sœurs nés et morts quasiment à leur naissance, sans avoir eu le temps de recevoir le baptême. Les opinions quant à leur vie éternelle témoignaient de beaucoup d'inquiétude. La plupart des filles s'accordaient pour leur éviter l'Enfer, mais ces mort-nés ne coupaient que rarement au Purgatoire. Jacqueline Trigassier savait qu'aux enfants morts avant d'avoir reçu le baptême, le bon Dieu arrachait la tête du corps, plaçait des ailes à la base du cou et ça faisait les angelots des images pieuses.

La mère Peyrac disparut. Sœur Saint-Denis se mit à réciter son chapelet à haute voix, égrenant les perles suspendues à sa ceinture; je récitai avec elle.

La nuit était tombée lorsque nous revînmes dans la cuisine. J'aidai à préparer le repas du soir, mais j'étais tellement préoccupé par l'installation de Rifkèlè le lendemain, que je lâchai une assiette, me blessai en ramassant les morceaux et éclatai en sanglots dans le cou de sœur Saint-Denis. Le soir, j'accompagnai mon amie et Mlle Calas jusque dans le dortoir. La jeune religieuse rapporta les paroles de la mère Peyrac. Ma grand-tante ne sembla pas surprise. Avec M. le curé après les vêpres, il avait été décidé que le baptême se ferait samedi après-midi dans la chapelle de la Maison, sœur Saint-Denis serait la marraine et Poupou le parrain. Il était bien sûr inutile d'en parler, « n'est-ce pas Poupou! »

Le silence n'était pas la règle dans notre Maison, mais la coutume s'était établie d'éviter les paroles inutiles. Dressé à cet usage, je ne manifestai aucune surprise, mais dans mon cœur et mes tempes cognait le désarroi. Ma grand-tante dit en riant :

« Te voilà chargé d'âme, mon Poupou. »

Je ne ris pas. J'étais abasourdi.

A mon réveil ma première pensée fut pour ma future filleule. Maintenant j'étais impatient que la classe commençât. D'ordinaire le matin, j'avais à peine le temps de respecter le rituel : toilette, prière, petit déjeuner suivi impérativement de la vaisselle personnelle. Ce matin tout fut effectué dans les temps, j'aurais même eu le loisir de tirer mes draps si j'avais décidé que je savais le faire.

Dans la cour de l'école, les élèves se pressaient autour des chaufferettes apportées de chez elles. Quand la grande, préposée à la cloche, secoua le cordon, tout le monde se rangea, fouilla des yeux la cour pour apercevoir la nouvelle. En vain. La mère Peyrac l'avait amenée très tôt, mais Mlle Calas ne la conduisit dans la classe qu'après la prière du matin.

Rifkèlè à l'école

DEPUIS trois jours Rifkèlè était ma voisine.

Au début de la première matinée, ses yeux ne quittèrent quasiment pas sœur Sainte-Thérèse. La première fois qu'elle la vit prendre sa longue badine pour en toucher Pierrette Pujol au fond de la classe, elle se tourna de tout son buste vers la coupable, dévisagea la religieuse, me regarda. Chaque mouvement général de la classe semblait la désorienter. A dix heures, quand toutes les filles se levèrent pour sortir dans la cour, elle resta assise et je demeurai près d'elle. Quelques grandes vinrent l'inciter à les accompagner dehors; muette, Rifkèlè ne bougea pas. Tout son corps disait non. Après la récréation elle refusa de s'agenouiller sur son banc.

« A genoux Viviane! Comme les autres! »

A l'injonction sèche de sœur Sainte-Thérèse, elle croisa les bras sur son pupitre et resta assise. Je la regardai stupéfait de son refus, de son obstination. Elle ne lâchait pas sœur Sainte-Thérèse des yeux, et des larmes roulèrent sur ses joues; elle les essuya de deux gestes saccadés. Je voyais la religieuse et Rifkèlè s'affronter. Alors Marinette Rouquette quitta son banc, s'approcha de Viviane, posa sa main sur l'épaule de la petite fille et dit de sa grosse voix :

« Vois, fais comme Poupou. »

La nouvelle s'agenouilla, agrippa le bord du pupitre de ses mains, mais ne les joignit pas. Pendant la prière, ses yeux fixèrent le visage de sœur Sainte-Thérèse dont le regard comme à l'accoutumée indifférent, parcourait toute la classe. Le rituel terminé, Rifkèlè s'assit lorsque je m'assis; à partir de ce moment elle calqua chacun de ses gestes de la matinée sur les miens. Elle écrivait lorsque j'écrivais, tirait des traits avec l'une des nombreuses règles trouvées dans son casier, lorsque j'utilisais la mienne. Son pupitre avait été fourni de cadeaux anonymes, rassemblés par Marinette Rouquette un soir à la sortie.

La nouvelle installée, toute la classe écrivit la date sur les cahiers, lundi 7 décembre 1942, puis la maxime de la journée. Sœur Sainte-Thérèse, descendue de sa chaire, s'approcha pour lui donner un *cahier du jour*, lui montrer comment soulever la planche de son casier et les trésors dissimulés. Le visage de Rifkèlè, impassible, ne changea pas à la vue des richesses découvertes. Elle prit un porte-plume, une règle, un buvard. Chacun de ses gestes, accompli totalement, se développait dans une respiration intérieure. Il contrastait avec les mouvements saccadés, esquissés pour essuyer ses larmes pendant la prière de dix heures. Elle se mit à écrire lentement, appliquée, sœur Sainte-Thérèse derrière nous se pencha, regarda :

« C'est bien, Viviane, c'est bien. Poupou, tiens-toi droit. »

Pour la première fois sœur Sainte-Thérèse prononçait le *nom* de la nouvelle. Je la prenais en flagrant délit de mensonge et je me sentis rougir de ma complicité. Rifkèlè leva son visage vers la religieuse, surprise. Ce fut, à mon gré, son véritable baptême, puisque pour moi le sacrement n'accordait qu'une identité, la notion de péché originel me restait obscure.

Les grandes calculaient des problèmes définitivement insolubles et les moyennes recopiaient les questions de dictée inscrites au tableau. Notre rangée devait effectuer des multiplications et des divisions pleines de chiffres et de virgules. Je me tirai difficilement de cette épreuve. Viviane regardait sœur Sainte-Thérèse expliquer comment elle exigeait que fussent présentées questions et réponses de dictée. Notre institutrice paraissait tenir à cette disposition du travail imposé. Il semblait, d'ailleurs, que l'exigence portât davantage sur la disposition que sur le travail. Chaque semaine elle répétait ses indications avec l'air d'y prendre un plaisir extrême. Elle me donnait l'impression d'user de la même force que celle employée par M. Sirven lorsqu'il me fabriquait un petit arc pour tirer les marrons. Il prenait une branche rigide, l'assouplissait patiemment par des torsions répétées, qui ne devaient surtout pas la briser, juste l'assouplir.

Sœur Sainte-Thérèse qui sentit le regard de Rifkèlè se tourna vers elle :

« Fais tes opérations Viviane! »

Rituellement à onze heures et demie, elle dit aux élèves :

« N'oubliez pas de vous laver les mains et de dire le bénédicité avant de manger. »

Rifkèlè qui déjeunait à la Maison demeura silencieuse au cours du repas comme elle l'avait été en classe. Pourtant sœur Saint-Denis essaya de la faire parler. Elle répondit par des silences, des gestes d'approbation ou de négation ou par des sourires. Je la sentais toute méfiance. Après le repas, les pensionnaires s'installèrent dans la salle d'étude. Sœur Saint-Denis nous laissa seuls dans la cuisine :

« Moi je le connais le maréchal Pétain de la prière, je l'ai vu. »

Je la regardai circonspect, je haussai les épaules.

« Si, je le connais! Il a une moustache et un chapeau rouge de gendarme. Je l'ai vu dans un grand stade. On y est allé avec l'école. Tous les enfants de toutes les écoles y étaient. On lui a chanté sa chanson :

Maréchal, nous voilà, devant toi,
Le sauveur de la France...

Je me souvins de ce que m'avait dit sœur Saint-Denis à propos du maréchal Pétain :

« Tu ne parles pas quand les autres sont là. Pourquoi?

– Je me méfie.

– Et avec moi, tu te méfies?

– Non, toi je te connais. Moi aussi je t'ai reconnu, tu sais. Je sais qui tu es. Tu es Joseph Meynard. Moi aussi j'avais vu ta photo.

– Tu dis n'importe quoi, je m'appelle Joseph Cros.

– C'est pas vrai. Mais n'aie pas peur, moi aussi je dirai rien. »

Sœur Saint-Denis revint. Nous retournâmes en classe. La maîtresse avait corrigé nos opérations. Rifkèlè avait tout bon; mes divisions, exactes jusqu'à la virgule, après étaient fausses. Sœur Sainte-Thérèse écrivit la correction au tableau; Rifkèlè semblait s'ennuyer. Avant la récréation de l'après-midi notre rangée fit une dictée. La maîtresse corrigea les sept cahiers de notre division, pendant que les élèves jouaient dans la cour. Comme j'étais resté dans la classe avec Rifkèlè qui ne voulait toujours pas quitter son banc, j'eus le loisir de voir l'orthographe surprenante de ma voisine. Sœur Sainte-Thérèse partagea ma surprise. La réussite des exercices de calcul lui avait sans doute laissé augurer une autre dictée :

« Tu ne faisais pas de dictée dans l'école où tu allais avant?

– Oh si! Mais il y a longtemps.
– Qui t'a appris les opérations?
– C'est Ginette.
– Qui est Ginette? »

La cloche sonna, les élèves rentrèrent. La prière dite, la maîtresse distribua les petits manuels d'histoire sainte, pour que nous y lisions la suite de l'histoire de Rébecca et d'Eléazar. Pendant la lecture silencieuse, je scrutais Rifkèlè. Regarder quelqu'un lire est peut-être aussi indiscret que l'observer dans son sommeil. Rifkèlè avait pénétré le livre. Son corps s'était comme épanoui sur son banc, ses bras écartés occupaient toute la largeur de son pupitre, débordaient sur le mien et sur le vide. Son menton posé sur ses poings rapprochés, elle souriait. Au lieu de continuer la lecture jusqu'à la fin du chapitre, elle tournait les feuilles en arrière et avançait vers les premières pages du manuel. Sœur Sainte-Thérèse à qui rien n'échappait, crut bon de ramener mes yeux sur la leçon.

« Poupou, lis à haute voix la suite de l'histoire d'Isaac. »

Et je lus. Une histoire de jumeaux, dont je me demandais lequel était le bon et lequel le mauvais. Il semblait bien que le nommé Jacob fût le bon, puisqu'il trouva grâce au regard de Dieu. Moi je jugeai mauvaises toutes les tromperies pratiquées, et injuste le marché passé avec son frère Esaü. Décidément, les voies du Seigneur étaient impénétrables, et dans les livres la vie des gens bien compliquée. Rifkèlè n'écoutait, n'entendait rien, ses yeux poursuivaient leur propre chemin. J'eus un regard de biais, ma voisine en était déjà au *Déluge.* Je reconnaissais la vignette de l'arche de Noé et je voyais la colombe avec sa branche d'olivier dans le bec.

Le jour déclinait. Pierrette Pujol au fond de la classe, sur un geste de la religieuse alluma l'électricité. Ce fut le signal : tout le monde rangea ses affaires, sauf Rifkèlè, elle découvrait la *Genèse* et prolongeait son absence à la classe. Après la *Création du monde* et le *Déluge,* elle était revenue à Noé et à ses trois fils. J'identifiai l'image de Noé dormant tandis que Sem et Japhet recouvraient la nudité de leur père dans son sommeil d'ivrogne. Après le remue-ménage des rangements, sœur Sainte-Thérèse fit un signe, et Pierrette Pujol éteignit. Rifkèlè se redressa. La religieuse esquissa un étrange sourire, et commença la récitation des litanies à la Sainte Vierge. La voix basse, incantatoire. Sur le même ton, mais plus claires, les voix des élèves répondaient : « Priez pour nous », en prolongeant les « ou ». J'aimais ce moment des litanies. Dans les crépuscules précoces de l'automne et de l'hiver, la classe devenait un sanctuaire, les litanies une mélopée, les réponses se muaient en murmure et je sentais mon âme sur mes lèvres prête à s'envoler.

Sœur Sainte-Thérèse se tut, laissa s'installer le silence, descendit parmi nous et ralluma. Après un instant d'effarement, Rifkèlè avait fermé le livre et posé sa tête de côté, sur ses bras. La lumière revenue, nous la vîmes endormie dans cette posture. Elle s'éveilla lorsque les deux filles chargées du ménage pour la semaine, revinrent avec leurs balais. Sœur Sainte-Thérèse avait accompagné ses élèves jusque dans la cour; à son retour elle donna à Rifkèlè encore ahurie un *cahier du soir* pour les devoirs, lui indiqua le travail pour le lendemain, et je l'emmenai dans la salle d'étude. Nous ne parlâmes pas. Quand la mère Peyrac vint la chercher, nous n'avions pas eu le temps d'échanger une parole. J'étais bourré de questions mais je la sentais se fermer au fur et à mesure qu'approchait l'heure de l'arrivée de sa « grand-tante ».

Le chat tigré

Ce jeudi matin très tôt, je m'installai dans la cuisine de sœur Saint-Denis. J'avais plein de choses à lui dire, à lui faire dire. Elle aussi avait besoin de moi. Sœur Saint-Denis était restée une paysanne simple dans son costume religieux. L'attitude de sœur Sainte-Thérèse à son égard et celle de Mlle Calas relevaient de la gentillesse condescendante. Tout petit que je fusse, je voyais bien que leur comportement n'évoquait en rien la déférence dont elles faisaient montre en présence de Mlle de Saurillac. Pour sœur Sainte-Odile, la jeune religieuse demeurerait toujours la petite paysanne connue en salle d'Asile; et pour sœur Sainte-Thérèse elle resterait à jamais l'élève brave, à peine médiocre. Fût-elle venue d'ailleurs, les choses eussent été différentes. Sœur Saint-Denis, en dépit de sa simplicité, ressentait tout cela, et je le ressentais avec elle. On ne lui parlait guère dans sa cuisine, on l'écoutait encore moins. Moi, je lui étais attentif et elle m'entendait si bien que j'aurais pu même ne rien lui dire. D'instinct elle connut mon désarroi et devina celui de Rifkèlè. Mon amie suggéra à ma grand-tante de faire venir la fillette à la Maison le jeudi après-midi, jour sans école. Elle irait chercher Rifkèlè et la ramènerait chez la mère Peyrac. Bien entendu je fus de la promenade qui reculait la clôture.

Arrivés devant chez la mère Peyrac, nous nous attendions à voir la femme en noir sur son seuil; la surprise fut qu'elle n'y parut point. On mit du temps à nous ouvrir. Dans la cuisine, un homme attablé en face de Rifkèlè se leva lorsque nous entrâmes, s'inclina devant sœur Saint-Denis et se présenta. Quelqu'un l'avait informé de la présence de la petite fille chez Mme Peyrac; il venait la remercier au nom de l'U.G.I.F. qu'il représentait à Cosne-Ferrou, et souhaitait témoigner sa gratitude à la mère supérieure. Il remit à sœur Saint-Denis une carte pour Mlle Calas. Y était inscrit son nom, et je ne sais plus quoi, et aussi Union générale des Israélites de France (U.G.I.F.). Je retrouvai plus tard cette carte, dans les papiers de Mlle Calas, après sa mort. L'homme s'inclina encore, me tapota la joue, « au revoir mon petit », fit un signe affectueux à « Viviane », puis s'en alla.

Pour la première fois je pénétrais dans cette maison. Rifkèlè s'en aperçut à mon air emprunté; elle s'approcha de sa « grand-tante » lui toucha le bras et dans un souffle demanda si elle pouvait emmener Poupou voir les lapins. La grand-tante la regarda stupéfaite : « Tiens! La voilà qui me parle! Bien sûr tu peux l'emmener! »

Sœur Saint-Denis nous recommanda de n'être « pas trop longs », il lui fallait être rentrée assez vite. Rifkèlè m'emmena dans le clapier, me montra les lapins avec « leurs nez agités », entrouvrit la porcherie où digérait le cochon. Puis nous retournâmes dans la cuisine. La mère Peyrac enjoignit à Viviane d'enfiler son manteau, l'enveloppa de surcroît dans un épais châle noir, et nous reprîmes à trois le chemin vers le bourg.

Plus que les images du clapier et de la porcherie, m'avaient impressionné leurs odeurs. Elles étaient la découverte de cette promenade. J'essayais de les conserver dans la mémoire de mon nez tandis que nous marchions en silence. Sœur Saint-Denis se mit à dire son chapelet et je le récitai avec elle. Bientôt Rifkèlè récita avec moi. Entre deux grains, sœur Saint-Denis lui demanda qui lui avait appris cette prière. Elle ne répondit pas et nous continuâmes ainsi jusqu'à la Maison.

La religieuse nous abandonna dans sa cuisine.

« Tu sais, samedi après-midi ce sera ton baptême.

– Qui l'a dit?

– Mlle Calas.

– Pourquoi on va me baptiser?

– Parce que tu n'es pas catholique.

– Et après je serai catholique?

– Oui.

– C'est obligé?

– Tout le monde l'est.

– Non, puisque pas moi. A quoi ça se reconnaît qu'on l'est?

– ...

– Qu'est-ce qu'on va me faire pour être catholique?

– On va te baptiser.

– Et qu'est-ce qu'on va me faire? »

Sa question me laissa perplexe. Rifkèlè murmura :

« Si on me baptise c'est sûrement que je vais mourir. Après le baptême, Mme Peyrac va me faire mourir. »

Elle dit, avec tranquillité, indifférence et certitude. Installé sur mon tabouret habituel près de la cuisinière, les coudes sur mes genoux et mon menton dans mes mains, je me sentais confortable. Rifkèlè assise en face de moi, ses bras étalés sur la table, la tête entre ses poings, me regardait et m'expliquait que ça lui était égal de mourir, que moi j'étais déjà mort et que ça ne m'empêchait pas d'être avec elle dans la cuisine. Je ne comprenais rien. Mais j'étais bien, protégé, elle pouvait me raconter n'importe quoi.

Germaine affirmait qu'après la mort, on revenait toujours. Avec elle vivait Mme Meynard, une méchante qui ressemblait à la mère Peyrac, en beaucoup plus vieille. Son chat Mistigri égorgeait les poules du voisinage, il fallait donc le tuer. Quand le soir les yeux de l'animal commençaient à briller, Germaine allumait la lampe à acétylène au milieu de la table. Elle brûlait avec un drôle de bruit et une odeur désagréable, répandant un cercle de poudre blanche, comme une couronne. Le chat tué, on ne saurait plus quand allumer la lampe, avait protesté Germaine. Mme Meynard l'avait alors menacée de la renvoyer à l'hospice si elle ne noyait pas l'animal. Germaine avait cédé.

Derrière la maison, Mistigri mangeait les viscères d'un poulet sacrifié le matin avec une espèce de stylet enfoncé dans le gosier. Germaine prit un vieux sac à pommes de terre, y introduisit une énorme pierre du jardin. Sac et pierre glissés dans un panier fermé, elle se saisit de Mistigri, le coinça sous le couvercle, et dit à Rifkèlè de l'accompagner.

Le chat d'abord miaula doucement, puis de plus en plus fort au fur et à mesure qu'elles avançaient sur la route derrière l'église. Après le cimetière, elles suivirent l'Huisne, une rivière verte comme les yeux de Mistigri, puis s'arrêtèrent auprès du petit pont. Dans le panier, Mistigri avait cessé de miauler.

Quand Germaine souleva le couvercle, rien ne bougea. Assise dans l'herbe, elle saisit le chat, le maintint entre ses jambes sur son tablier dont elle noua les coins. Dès qu'elle eut cette grosse boule sur le ventre, commença quelque chose de terrible. Mistigri de nouveau enfermé, se débattit, trépigna, cracha dans le tablier de Germaine, hurlante et vociférante. Ses griffes lui lacérèrent le ventre. Rifkèlè terrorisée serrait ses poings contre ses oreilles. Elle clignait des yeux, bien que terrifiée elle éprouvait un irrépressible besoin de regarder. Germaine avait agrippé le sac dans le panier et réussi à y faire glisser le chat. Tandis qu'elle en nouait l'ouverture, Mistigri trépignait, miaulait, arrachait la toile de jute et s'y déchirait les griffes.

A travers les fibres du sac traîné jusque sur le pont de pierre, la bête tenta de s'accrocher au sol. Dans un effort qui l'épuisa, Germaine fit passer sa charge pardessus le parapet, lâcha tout et s'effondra. Le sac lesté de la grosse pierre coula. A la surface de l'eau, sur la moire rompue, des cercles naissaient, s'élargissaient en innombrables yeux géants de Mistigri, puis venaient se briser sur les bords de la rivière.

Germaine, dont tout le monde au village disait qu'elle était une innocente, se redressa, souleva son tablier et ses jupes qui la faisaient ressembler aux dames de jadis, puis elle tira la ceinture de son dernier jupon pour regarder son ventre. Rifkèlè le savait, quelque chose allait se produire; et, après qu'un chat tigré fut venu frotter son dos contre la jambe de Germaine qui hurla et s'enfuit, l'enfant vit l'animal filer, le poil hérissé, la queue dressée. Elle reconnut Mistigri.

« Mistigri je l'ai retrouvé chez Mme Peyrac. Il ne me laisse jamais le caresser. Il a peur que je le rejette dans l'eau; j'ai bien reconnu ses yeux. »

Je lui demandai pourquoi elle disait qu'elle allait mourir. Elle ne voulut pas me répondre, haussa les épaules et me parla de sa mère.

Depuis longtemps elle ne l'avait pas vue. La dernière

fois, c'était un matin d'été; sa maman l'avait amenée dans une gare pour partir en vacances. Des vacances jamais terminées, puisque Rifkèlè n'était pas revenue dans *sa* maison, ni retournée dans *son* école, puisqu'elle n'avait toujours pas retrouvé sa mère.

A la gare, une dame coiffée d'un béret bleu marine orné d'une croix rouge, lui avait glissé une pancarte autour du cou avec son nom, son prénom. D'autres enfants étaient là, un écriteau sur leur poitrine. Ils montèrent tous dans un train. Le voyage dura longtemps.

Aux arrêts, des dames venaient ouvrir les portes, elles apportaient à boire ou à manger. Pendant le voyage, un garçon joua avec la serrure de la portière. Plus tard, un autre train croisa le leur et dans un vacarme terrible de ferrailles éclatées, la porte s'ouvrit, fut arrachée. Le train roula longtemps encore avant de s'arrêter. Puis, tous descendirent sur la voie.

Plus tard, les enfants furent rassemblés dans une gare. Des hommes et des femmes les attendaient. On répartit les garçons, puis les filles parmi ces gens. De Rifkèlè, la plus petite, personne ne voulut. Elle resta seule avec les dames de la Croix-Rouge. Alors une vieille femme s'approcha :

« Ben viens! Tu aideras la Germaine! »

Et Rifkèlè la suivit. Une autre, moins vieille, lui prit sa valise. Elle comprit que c'était Germaine.

Quand sœur Saint-Denis revint, elle alluma et fit descendre l'abat-jour au-dessus de la table. Rifkèlè retrouva son mutisme. Mon amie la regarda, un sourire dans les yeux.

« Poupou, as-tu dit à Viviane que tu serais son parrain? Je vais être ta marraine Viviane, un peu ta maman, et Poupou ton papa. »

Cette légitimité maternelle qu'octroyait le baptême de Rifkèlè à sœur Saint-Denis... Quelque chose de douloureux me poignit au creux de l'estomac. Je fus distrait de cette pernicieuse sensation en me souvenant qu'être parrain me donnait le pouvoir d'imposer un prénom à Rifkèlè.

La mère Peyrac vint chercher elle-même sa « petite-nièce ». Lorsque la femme noire pénétra dans la cuisine, Rifkèlè se faufila dans son manteau et s'enveloppa dans le châle pour s'épargner quelque contact que ce soit avec sa « grand-tante ». Sans un mot elle vint se placer auprès d'elle. Nous les raccompagnâmes à la porte.

De retour dans la cuisine, j'annonçai à sœur Saint-Denis que je voulais donner à Rifkèlè le prénom de Rébecca, le joli prénom d'une jeune fille charitable. Elle avait désaltéré Éléazar assoiffé près du puits. En même temps je me sentis rougir de ma duplicité : Rifkèlè était une autre manière d'appeler Rébecca, si la fausse Viviane s'appelait Rébecca, je pourrais dans ma tête continuer de la nommer Rifkèlè. Sœur Saint-Denis sourit.

« Il n'y aura plus de mensonge Poupou, la petite fille sera à la fois Viviane et Rébecca, parce que moi, la marraine, je lui donne pour prénom de baptême Viviane. »

Le jour de marché

APRÈS la cérémonie dans la chapelle du couvent, je m'installai avec ma filleule dans la salle d'étude.

« Ça se voit que je suis catholique maintenant ? »

Perplexe, je lui racontai l'ange gardien et le diable gardien. Il fallait faire très attention. Rifkèlè haussa les épaules.

Dans les jours qui suivirent, la métamorphose de Rifkèlè en Viviane se poursuivit. Non seulement elle s'adapta aux rites de la cour de récréation, mais encore elle se les adapta. Attirée par les tout-petits de l'Asile, elle n'hésita pas, certains samedis après-midi tant qu'elle bénéficia comme moi du privilège qui la dispensait de la classe de couture, à leur rendre visite. Mlle Calas ne l'effrayait pas, elle ne savait pas qu'elle devait en avoir peur. Dans la cour, elle n'attendit pas longtemps pour découvrir les filles de l'autre classe, et fraya avec les élèves de Mlle de Saurillac parce qu'elle avait vite perçu que ce n'était pas l'usage.

En classe, elle levait constamment le doigt pour répondre, même lorsque sœur Sainte-Thérèse interrogeait les élèves de la grande division. Bientôt son orthographe perdit sa fantaisie. Dès sa deuxième semaine d'école elle arriva le matin dans la cour avec Jacqueline Trigassier, la voisine de la mère Peyrac, et repartit avec elle. Nous n'eûmes plus guère l'occasion de nous retrouver seuls jusqu'aux vacances de Noël où il fut entendu que Viviane resterait au couvent; la mère Peyrac n'avait pas envie de sentir toute la journée cette enfant dans sa maison. Son habitude de solitude lui faisait trouver insupportable même la présence du chat. Elle ne comprenait toujours pas pourquoi elle s'était embarrassée de la petite fille. C'était pourtant une gamine discrète, elle faisait son lit, sa toilette; elle restait de longs moments assise à regarder le chat qu'elle appelait Mistigri et ne touchait jamais. Parfois, elle agitait une feuille de papier devant son visage, ou un brin de laine et s'amusait des sauts de l'animal. Elle ne parlait pas. Le soir, elle écoutait la radio branchée en sourdine, comme si elle comprenait les messages.

« J'ai jamais besoin de le lui dire, poursuivait la “ grand-tante ”, quand j'éteins la radio, la petite se lève et elle va se coucher. »

Le lundi qui précéda les vacances de Noël fut jour de marché. La veille, Jacqueline Trigassier avait demandé après les vêpres, l'autorisation de m'emmener passer la journée de congé chez elle. Nous irions cueillir la mousse pour tapisser la crèche. J'étais avec sœur Saint-Denis près de ma grand-tante quand Jacqueline fit cette proposition. Son audace m'effraya. La terre entière le savait, je ne sortais jamais de notre Maison, sauf comme le compagnon de sœur Saint-Denis. La surprise de mon amie et le visage interloqué de Mlle Calas allaient de soi. Pourtant, sœur Sainte-Odile acquiesça.

« Je viendrai le chercher à la fin de la matinée, je le

ramènerai en fin d'après-midi. Je vais demander à la mère Peyrac si Viviane peut venir. »

Le lendemain dans la cuisine, je piaffais d'impatience. Jacqueline Trigassier arriva vers onze heures. Les plaisirs habituels liés au jour du marché m'avaient laissé indifférent; j'avais craint depuis le matin qu'une catastrophe n'intervînt. Jacqueline, inconsciente de mon excitation, prit le temps de montrer à sœur Saint-Denis une bourse en satin peinte par Mlle Jeanne, qu'elle voulait offrir à sa mère pour Noël. Elle avait choisi une pipe pour son père, elle s'amusa à me la planter entre les lèvres pour voir comment j'étais en homme.

Nous avions quitté la Maison et suivions le raccourci. Jacqueline sentit mon hésitation lorsque je vis le marché, elle perçut mon désir d'aller moi aussi errer parmi les éventaires. Alors elle me prit par la main et nous allions nous frayer un chemin parmi les maquignons, lorsque, dans le tumulte des cris et des meuglements, mon ange gardien parvint à faire entendre sa voix en utilisant la mienne :

« Non. On m'a permis d'aller chez toi et de cueillir de la mousse. C'est tout. »

Elle n'insista pas. Mon ange gardien triomphait, nous l'avions échappé belle tous les deux.

Pendant que nous marchions, Jacqueline m'apprit que dans la porcherie de ses parents, une truie avait mis bas une portée de huit gorets. L'un était sa propriété. Elle lui avait mis un ruban vert autour du cou pour le reconnaître. Viviane pourrait jouer avec.

« Tu sais, Viviane, mes parents ils l'auraient bien prise à la maison. Nous, on l'a reconnue. Sa mère avait fait de la couture chez ma grande sœur, elle avait montré la photo de sa fille. Mais on ne dira rien tu sais. Et au pays on n'est pas les seuls. »

Donc tout le monde savait pour Rifkèlè, tout le monde mentait et ça ne gênait personne.

La porte de la mère Peyrac s'ouvrit avant même que nous ayons eu le temps de la heurter. La surprise était évidente sur le visage de la femme en noir. Jacqueline Trigassier fit sa même demande. La mère Peyrac n'hésita pas et appela Viviane, perdue dans la contemplation du chat en train de faire sa toilette.

« Mets ton manteau et prends le châle, la petite Trigassier t'emmène avec Poupou. »

Docile, Rifkèlè vint nous rejoindre.

La Source Rouge

IL fallait juste franchir le pont pour arriver chez les Trigassier.

Dans la pièce où nous pénétrâmes, je distinguai les formes torturées des poutres, comme déformées par le poids de lourds jambons qui séchaient au plafond. Je reconnus les odeurs découvertes chez la mère Peyrac. Les parents à la foire, nous étions les maîtres des lieux. Sur la table dressée, Jacqueline déposa un quart de miche qu'elle sortit de la huche à pain et un pot de grès rempli de saindoux. Elle grimpa sur une espèce d'escabeau placé sous un jambon, y découpa des tranches, les posa sur les assiettes que nous lui tendions. Avant de passer à table, nous rendîmes visite à la truie et à sa portée. J'identifiai le goret favori à son ruban vert. Tous les autres se ressemblaient, gorgés contre les mamelles de leur mère, endormis les uns sur les autres au risque de s'étouffer. Rifkèlè aurait bien voulu en prendre un dans ses bras. Jacqueline extirpa le porcelet au ruban vert de l'enchevêtrement fraternel et le confia à la petite fille. L'animal, indifférent, poursuivit son sommeil dans la douceur d'un bras qui valait le ventre de sa mère. Il était si rose, pourquoi disait-on sale comme un cochon? Rifkèlè n'obtint pas de réponse. Peu importait. Elle avait coutume de poser les questions pour les questions, et semblait se désintéresser des réponses. Pourquoi, puisque le cochon était une bête sale, mangeait-on sa viande et pourquoi la seule viande mangée à Cosne-Ferrou était la viande du cochon? Mais en dépit de ses questions, de son bavardage, elle ne dit rien d'elle-même, rien de ce qu'avait été sa vie avant son arrivée dans notre bourg, comme si Jacqueline Trigassier appartenait à un monde hostile, voire dangereux.

Après le repas, Rifkèlè prit congé du goret. Elle le replaça dans la masse fraternelle, puis nous sortîmes. Dehors le soleil, haut dans le ciel, brillait comme une hostie d'argent. J'étais abasourdi de me voir ainsi, hors de la Maison, loin de sœur Saint-Denis, avec Rifkèlè.

Nous avancions dans la neige épaisse. Nos galoches y laissaient des trous profonds dont nous nous extirpions en levant haut les genoux. Le chemin en pente prolongeait le pont. Je l'avais souvent vu de loin. Je m'étais demandé où menait cette petite côte qui, l'été, se perdait dans des bosquets de noisetiers et l'hiver, disparaissait dans le ciel. Et moi maintenant j'étais sur ce chemin! Jacqueline nous en raconta toutes les vertus au fur et à mesure de notre progression. Là, à gauche, sur les branches basses du noisetier, elle se balançait au printemps avec les autres enfants du hameau. Ils appelaient ce coin, le coin des balançoires.

Nous montions lentement et le chemin devenait plus large, s'ouvrait aux quelques rayons du soleil qui y avait fait disparaître la neige. Nous débouchâmes sur un terrain dont les dimensions me surprirent. Jacqueline, en été, passait là certains dimanches avec ses sœurs et ses frères pour voir le Georges s'entraîner au football. Elle montra les buts et comment à la belle saison, on en réparerait les filets déchiquetés par le temps et la froidure. Je me mis à courir sur le terrain en poursuivant un imaginaire ballon. Rifkèlè se mit à courir avec moi.

Alors, j'arrachai mon passe-montagne de sur ma tête, y enfermai un gros caillou. Quelques ruades dans « la balle » et je cessai brusquement de jouer : il m'avait semblé entendre des ricanements du côté du diable gardien et je percevais très nettement les reniflements tristes de mon ange. Les filles ne comprirent pas pourquoi, soudain, je ramassai mon passe-montagne, en vidai le gros caillou et le brossai avec une vigueur rageuse. Hors de la Maison, il me faudrait, contre moi-même, redoubler de vigilance. Comment donc faisaient les autres pour rire et s'amuser sans remords ?

Nous devions cueillir la mousse près de la Source Rouge. Mon impatience d'arriver sut distraire mon obsession du péché. Notre guide nous avait raconté l'eau de la source, son goût de rouille. En été, des gens de Castres, d'Albi, de Béziers venaient la boire pour se garder en bonne santé. Quand elle était élève chez Mlle de Saurillac, Jacqueline y avait pique-niqué avec sa classe et appris que Cosne-Ferrou devait son nom à la Source Rouge, à l'oxyde de fer contenu dans l'eau. Bien sûr Rifkèlè demanda ce qu'était l'oxyde de fer, mais Jacqueline ne se souvenait plus de ce qu'avait dit sa maîtresse.

Une source évoquait pour moi un lieu de clarté, un jaillissement, comme la source des litanies de la Vierge. Alors que nous grimpions, je me demandais si l'eau charriait du sang, ou en avait charrié jadis. Je fus déçu, un maigre ruisseau en partie gelé, sur un fond d'ocre vif.

« Vous voyez, la terre ici est rouge, c'est elle qui donne à l'eau le goût de la rouille. »

Rifkèlè affirma bien sûr que la terre n'était pas rouge et voulut absolument goûter l'eau du ruisseau. Elle s'accroupit, enfonça un doigt là où la glace ne formait qu'une mince pellicule et fit mine de se délecter d'une eau exquise. Elle répéta plusieurs fois son geste. Jacqueline Trigassier en fit autant, moi je n'osais pas. Je craignais que le diable préposé à ma perdition n'en profitât pour me flanquer dans l'eau.

« C'est bon Poupou, tu sais, c'est bon. Ça a un goût rouillé. Je t'assure. Ça a un goût rouillé. Tu devrais goûter. »

A ce moment, ma filleule m'irrita, je me demandai si elle n'avait pas fait alliance avec mon diable.

Jacqueline Trigassier m'apporta dans le creux de ses paumes, un peu du breuvage parfaitement transparent. Je n'osai refuser et je bus. Et c'était vrai, ça avait une saveur de rouillé.

Dans le champ où jaillissait la source, s'entassaient des chaos de blocs rocheux sur lesquels nous cueillîmes la mousse épaisse et soyeuse. Rifkèlè s'amusa à y enfoncer les doigts jusqu'à ce que la grande lui dise qu'elle gâchait ce que nous étions venus cueillir. Alors la petite fille, pour réparer le tort commis, caressa la mousse, velouteuse comme le poil de Mistigri. Jacqueline avait emporté un gros panier d'où elle sortit un couteau arrondi du bout. Il servit à décoller les touffes d'un vert profond que Rifkèlè et moi ramassions et déposions précautionneusement dans le panier. Parfois, quelques cristaux de neige restaient attachés entre les tiges feuillées.

Quand Jacqueline Trigassier décida la récolte suffisante, nous rebroussâmes chemin.

Le soleil, maintenant, était derrière nous. Il fallait activer le pas si nous voulions construire la crèche le jour même. Le retour me parut rapide et je fus tout surpris de voir bientôt apparaître la maison des Trigassier. Avant de pénétrer dans la cuisine, nous donnâmes de violents coups de pied contre le mur près du seuil, afin de faire tomber toute la neige de nos galoches.

Jacqueline nous emmena dans la chambre qu'elle partageait avec deux de ses grandes sœurs. Le lit des aînées reçut nos manteaux. Une table carrée dont le bois brun luisait du même éclat que les lattes cirées du parquet et du plafond, allait servir de socle à la crèche. Ma filleule et moi fûmes chargés de répartir des pages de vieux journaux sur la table et le sol. Jacqueline plaça des touffes de mousse sur les feuilles de la table. Puis elle sortit d'un placard tous les santons de la crèche. Je reconnus la Vierge, Joseph dont je remarquai la calvitie, Jésus sur sa botte de paille et les bergers avec leurs agneaux dans les bras. Elle les disposa dans la mousse en un groupe resserré, puis s'aperçut qu'il manquait l'âne et le bœuf. Rifkèlè, étalée sur les feuilles dont elle avait jonché le sol, s'était perdue dans leur lecture. La voix de Jacqueline la ramena vers nous et la chargea d'aller quérir les bêtes. Dans le placard, la fillette découvrit les rois Mages, elle les apporta également, et déplora l'absence d'un goret dans la crèche. Jacqueline Trigassier lui fit remporter Melchior, Gaspard et Balthazar qui ne devaient figurer parmi les santons qu'à partir de l'Épiphanie.

Les intrus retournés dans leur placard, Rifkèlè contempla la crèche enfin réalisée. Jacqueline Trigassier avait piqué des épingles à têtes multicolores dans les touffes vertes. La petite fille eut quelques mots d'admiration polie.

La grande décida qu'il était l'heure pour moi de rentrer. Nous regagnâmes la chambre qui, maintenant éclairée, me parut très haute. La lumière venait d'un lustre au centre du plafond. Il répandait une lueur orangée sur la partie supérieure des murs par ailleurs dans une pénombre triste. La crèche avait un petit air misérable et me rendit mélancolique. J'eus soudain froid au cœur; la nostalgie de la cuisine de sœur Saint-Denis me prit. Rifkèlè, le nez collé sur Jésus, des larmes dans les yeux, dissimulait un chagrin dans une contemplation qui lui permettait de tourner le dos à l'adolescente. Puis elle saisit son manteau, avec brusquerie l'enfila. Lorsqu'elle franchit la porte de la chambre, elle avait escamoté la tristesse de son visage, mais ne manifesta aucun désir d'aller faire ses adieux au goret.

Nous franchîmes le pont et marchâmes en silence jusqu'à la maison de la mère Peyrac. De loin, je voyais sur la porte le marteau de cuivre briller dans le noir; j'en connaissais la forme inquiétante : une tête à la chevelure épaisse et aux grands yeux ouverts qui scrutaient méchamment le visiteur. La porte s'ouvrit par magie, la silhouette de la femme se profila dans la lumière qui venait de l'intérieur. Le chat, jailli d'on ne savait où, fila vers la cuisine, ignorant la colère de sa maîtresse.

« Viviane, tu peux rester avec la petite Trigassier pour accompagner Poupou », et elle claqua la porte assez fort pour que le marteau lui-même en vibrât.

La nuit était tombée. Rifkèlè murmura que les yeux de Mme Peyrac étaient semblables à ceux du marteau.

« C'est très possible. Chaque fois que je passe lui apporter quelque chose de la part de ma mère, la porte s'ouvre avant même que j'aie touché le heurtoir. Je crois qu'elle est un peu sorcière. Moi je sais qu'elle soigne mieux que le médecin ou que le vétérinaire. A ma communion, c'est elle qui a guéri le père parce qu'il avait trop bu. C'est elle aussi qui a aidé la truie à mettre bas, que l'autre fois on avait fait venir le vétérinaire, et que la truie a été bien malade et qu'il y avait trois gorets étouffés.

– Est-ce que les gorets morts vont au Paradis?

– Les gorets, c'est pas des gens, Viviane! Il n'y a que les gens qui vont au Paradis. »

Rifkèlè poussa un gros soupir.

La lune était levée déjà. J'avais froid; c'était le même ciel que le soir de l'enterrement. Après le pont du chemin de fer, nous vîmes de loin sur notre droite, un brasier dont les flammes éclairaient deux silhouettes. Jacqueline reconnut Manou et la mère de Denise qui brûlaient les habits de Viviane la morte, dont personne ne voulait, chacun les craignait imprégnés du mal qui avait emporté d'abord la mère, puis son enfant. C'était l'usage dans le pays. On brûlait plutôt qu'on ne donnait les habits des morts. Jacqueline se souvenait du même brasier et des mêmes silhouettes après la mort de Denise. On disait que la cendre de ces brasiers pouvait protéger des maladies. La nuit en cachette, certains venaient la ramasser pour s'en enduire le corps et les membres. Le pharmacien avait pourtant bien dit que c'était là des vieilles idées de l'ancien temps; même des jeunes y croyaient. Ils utilisaient les tisons éteints pour allumer le feu dans leur cheminée, ça protégeait du mal.

Rifkèlè ne posa aucune question sur la Viviane dont on brûlait les habits. Elle en connaissait l'histoire comme si elle-même y appartenait. Manou avait jailli la veille du dehors, en même temps que le chat, avait regardé Rifkèlè, « bonjour Viviane Peyrac » et lui avait souri. Il était monté à l'étage avec sa mère. Rifkèlè ne s'était pas étonnée. Il pouvait arriver n'importe quoi. Elle avait cessé de s'étonner depuis qu'un après-midi de printemps, quelqu'un avait frappé à la porte du logement où elle vivait *avant*. L'agent de police, dans l'encadrement de la porte, avait tendu une feuille verte au père : il devait se présenter le lendemain au commissariat, très tôt le matin. Tout l'après-midi le père et la mère s'étaient interrogés, fallait-il ou non répondre à la convocation? Le soir dans son lit, Rifkèlè avait pleuré, elle ne savait pas pourquoi.

Le lendemain, ils se rendirent tous les trois au commissariat. Le père portait une couverture roulée sous son bras. « Guterman David. » Il avait répondu présent quand on l'avait appelé avec les autres, venus escortés de leurs femmes et de leurs enfants. Après elle était retournée à la maison. Est-ce qu'elle avait dit au revoir? Elle ne se souvenait pas. Il n'était pas encore l'heure d'aller en classe. Jamais elle ne s'était levée si tôt. A l'école, elle n'avait rien raconté à personne. Depuis, tout avait changé, et plus rien ne la surprenait.

* * *

Dans l'obscurité du soir que la pâleur de la lune rendait plus froid et plus blême, les flammes jetèrent un éclair rouge et or. Bien qu'il ne fût pas tard, nul curieux ne s'était approché du brasier. Jacqueline Trigassier accéléra notre marche. Elle murmura :

« Ça porte malheur de voir ce feu de la mort si on est en état de péché mortel. On meurt dans la nuit et on va droit en Enfer. »

Ces mots me terrifièrent. N'avais-je pas au cours de cette journée extraordinaire, commis un péché mortel dans un moment d'inattention? Comment le savoir? La nuit qui allait venir serait une mise à l'épreuve; si je me réveillais demain matin dans mon lit, c'est que je n'avais commis aucune faute grave, que mon ange gardien m'avait bien protégé. Mais si je me réveillais en Enfer? Rifkèlè affirma qu'elle n'avait rien à craindre, seuls les méchants commettaient des péchés, elle n'était pas méchante. J'enviais sa tranquillité et sa certitude. Lorsque plus tard, je lui répétai les mises en garde de sœur

Sainte-Odile contre le Malin qui pouvait subrepticement prendre possession d'une âme, elle n'en eut cure. C'était comme si elle se faisait totalement confiance. La lutte occulte que se livraient en permanence les anges et les démons-gardiens la faisait rire; pour elle ce n'était que le combat sournois de deux garçons insupportables. Elle était bien plus préoccupée par les passages ininterrompus de la vie vers la mort et de la mort vers la vie : Mistigri noyé par Germaine dans l'Huisne et retrouvé chez la mère Peyrac, voilà qui la tracassait sans toutefois la tourmenter.

Pour retourner à la Maison, nous ne prîmes pas le raccourci. La lune éclairait nos visages et rendait nos yeux clairs. Jacqueline préféra passer par les rues de Cosne-Ferrou et nous débouchâmes sur la place de la Fontaine. Rifkèlè voulut appuyer sur la sonnette et sœur Saint-Denis nous ouvrit. J'avais envie de me blottir contre la croix sur sa poitrine. J'aurais aimé qu'elle me prenne dans ses bras, mais je n'osai le lui dire. Je craignais que plus jamais on ne me laissât quitter la Maison. Alors j'arborai avec ostentation un air satisfait. Rifkèlè repartit immédiatement avec Jacqueline Trigassier.

Dans la cuisine, moi d'habitude si volubile, je ne dis rien, inquiet. Étais-je en état de péché mortel? Comment faire pour savoir. J'aidai sœur Saint-Denis à préparer le repas du soir, à mettre la table. Elle ne m'interrogea pas et me raconta la foire. Elle y avait surtout vu des éventaires de colifichets et de mercerie. Mlle Jeanne avait eu beaucoup de clients en cette veille de Noël. Il avait fait très froid et les feux improvisés par les marchands ne les réchauffaient guère. J'écoutais mal. Je ne la questionnai pas, occupé de mon tourment, comment savoir si j'étais en état de péché mortel? Toutefois, pour distraire mon anxiété, je lui demandai pourquoi seuls les gens allaient au Paradis, et pourquoi pas les gorets? Ma question la laissa perplexe. Je lui racontai le goret au ruban vert et la question de Rifkèlè. Et puis j'éclatai en sanglots et lui avouai mon inquiétude. Elle me prit dans ses bras, me berça, affirma que mon âme était aussi blanche que la neige qui tombait du ciel, aussi pure que l'eau de source. Alors l'angoisse me reprit à cause de l'eau de la Source Rouge dont je ne pouvais me résoudre à la penser pure. Je lui racontai le feu de la mort, et les paroles de Jacqueline Trigassier à l'origine de mon tourment. Elle me rassura, je ne pouvais avoir commis de péché mortel, puisque je ne savais même pas ce qu'était un péché mortel. Justement, peut-être en avais-je commis un par inadvertance? Sœur Saint-Denis sourit : « Tu es pur comme un agneau, mon Poupou, et si tu mourais, tu deviendrais aussitôt un ange du Seigneur. »

Je ne voulais pas devenir un ange. Je voulais vivre sans avoir peur, comme avant. Pourtant j'étais heureux que Rifkèlè fût arrivée. Depuis sa venue, la vie se révélait difficile, la peur me talonnait, mais aussi, j'étais *dans* la vie, et non plus à côté.

Marinette

Le lendemain, en classe, Rifkèlè se précipita vers Jacqueline Trigassier pour prendre des nouvelles du goret au ruban vert. Puis elle revint s'asseoir près de moi. La veille, en rentrant, elles avaient vu la mère Peyrac observer de loin les flammes du feu de la mort. Ayant perçu la présence des enfants, la femme s'était approchée des deux filles, avait fait avec elles le chemin jusque chez les Trigassier, puis était revenue dans sa maison avec Rifkèlè.

Il restait encore deux jours de classe avant les vacances de Noël. J'étais impatient. Rifkèlè devait venir s'installer à la Maison. A part Marinette Rouquette, toutes les pensionnaires partaient dans leurs familles. Je pensais Marinette orpheline, elle ne quittait jamais notre Maison, et ne parlait jamais de ses parents. Elle voulait devenir religieuse. Elle restait fréquemment dans la cuisine avec sœur Saint-Denis, et souhaitait occuper un jour des fonctions identiques à celles de mon amie. Je l'aimais bien, j'aimais sa voix bourrue. Je sentais qu'elle était pour moi comme un prolongement de sœur Saint-Denis dans la classe. Élève studieuse, elle travaillait « comme un bœuf », disait sœur Sainte-Thérèse qui lui témoignait beaucoup de bienveillance. Marinette Rouquette était liée aux nombreux projets échafaudés pour les vacances de Noël. Ma grand-tante l'avait promis, j'assisterais à la messe de minuit avec Marinette et Rifkèlè. Cette perspective me rendait fébrile. La nuit était le moment dangereux, celui du champ laissé libre au Démon et aux esprits tentateurs, un avant-goût de la mort. Lorsque le soir, dans mon lit, j'avais imaginé l'ange et le démon délégués à ma personne réglant leurs comptes à mon propos, il m'arrivait de les rêver. Ils avaient mon visage. L'un portait une aube blanche et une auréole dorée, comme les enfants de l'Asile les jours de la procession de la Fête-Dieu ou du 15 août. L'autre était vêtu d'une robe rouge et d'un surplis noir. Mon lit en bataille le matin témoignait des combats de la nuit. Allais-je assister éveillé à leurs luttes? Y aurait-il une trêve pour la nuit de Noël? J'étais craintif et simultanément curieux. Je savais que, les enfants couchés dans leurs lits, pour les adultes la journée se prolongeait, la vie continuait. J'allais vivre ce qui se passait tard dans la soirée! Pourtant j'étais insatisfait, la veille de Noël n'était pas une vraie soirée, ni la nuit une vraie nuit.

Mlle Calas avait promis à Marinette de lui faire essayer un costume de religieuse pendant les vacances. Cette perspective la mettait dans un tel émoi que sœur Sainte-Odile l'en avait taquinée, lui conseillant de conserver cette émotion pour le jour de sa vraie prise de voile. A ma filleule et à moi fut promis de nous faire visiter le couvent de fond en comble.

Le matin du mercredi, dernier jour de classe de cette année 1942, la mère Peyrac accompagna Rifkèlè à l'école et y déposa la valise avec laquelle la fillette était arrivée à Cosne-Ferrou, trois semaines auparavant. Sœur Saint-Denis la prit et la plaça au pied de ce qui allait être son lit, juste à côté de celui de Marinette.

Marie Picard née Doucet

« MON Dieu je remets mon âme entre vos mains... » Rifkèlè avait fini sa toilette, elle allait passer sa première nuit dans le dortoir. Ma prière dite, mon âme recommandée, je percevais, allongé dans mon lit, la petite fille se glisser entre ses draps, sans avoir prié ni confié son âme à qui que ce fût. Sœur Saint-Denis tira les rideaux qui jusqu'alors m'isolaient du reste de la chambre :

« Poupou, les autres soirs tu diras ta prière avec ta filleule, et toi Viviane n'oublie pas de recommander ton âme à Dieu avant de t'endormir. »

Elle sourit à Rifkèlè, demanda au Bon Dieu de prendre soin de l'âme de Viviane, puis éteignit.

Nous étions seuls dans le dortoir silencieux et obscur. J'avais coutume de m'endormir vite; ce soir le sommeil ne venait pas. Bientôt j'entendis quelques reniflements humides, ils provenaient du lit de Rifkèlè.

« Tu pleures?... Pourquoi?

– ...

– Tu as peur dans le noir?

– Non. Mais je vais mourir et je ne veux pas!

– Pourquoi? Pourquoi tu vas mourir?

– ... »

Je l'entendis encore renifler, puis quelqu'un pénétra

dans la pièce. La lumière du palier éclaira la silhouette de Marinette qui referma précautionneusement la porte et repéra son lit à tâtons; bientôt elle s'y glissa. Rifkèlè avait cessé de pleurer, même son souffle semblait suspendu. Je basculai dans le sommeil. Des têtes d'angelots aux visages de Rifkèlè voletaient au-dessus de mes gardiens. Mon ange en aube blanche priait agenouillé, la tête appuyée sur ses mains jointes. Mon diable dissimulait sa figure dans les pans de son surplis noir relevé. Puis le surplis glissa sur la robe rouge et je m'aperçus que le malin avait les traits de Rifkèlè. Quand mon ange sortit de sa méditation, je reconnus le même visage. Les têtes des angelots souriaient au-dessus de mes gardiens occultes. Leurs sourires se figèrent en grimaces suspendues dans le vide, qui se collèrent sur des têtes de gorets roses, enrubannées de vert.

Je m'éveillai de fort bonne humeur ce jeudi, premier jour des vacances. Je me souvins que Rifkèlè dormait près de moi.

Le lit à ma droite était déjà vide, Marinette avait dû se lever en même temps que sœur Saint-Denis. A voix basse je lançai :

« Tu dors?... Dis, tu dors?

– ...

– Tu dors encore? Marinette est déjà sortie.

– Laisse-moi tranquille. Je ne veux pas me réveiller. Je veux pas ouvrir les yeux.

– Alors c'est comme si tu étais morte.

– ...

– Tu es morte?

– Non. Je veux pas voir que je ne suis pas dans ma maison à moi. »

La porte s'ouvrit. Marinette lança un énorme bonjour,

puis repoussa les persiennes. Dehors tout était blanc. La fenêtre, située au deuxième étage, plongeait sur la place de la Fontaine. De mon lit je voyais la route qui menait au cimetière des protestants. Quand un enterrement passait, m'intriguait toujours le drap noir sur le cercueil, bordé de franges. Certains s'y agrippaient comme pour échapper à leur chagrin – ou retenir le mort qu'on allait mettre en terre.

Ce matin je ne voyais rien. Quand Marinette avait ouvert la fenêtre, je m'étais recroquevillé au fond du lit, l'oreiller calfeutrant tout passage à la lumière. Le rire de Rifkèlè me fit repousser mes couvertures. Sur son séant, elle me montrait du doigt et criait :

« Ouh-ouh, le frileux, le frileux! »

Marinette tira les rideaux qui m'isolèrent et voulut aider Rifkèlè à s'habiller. Pendant que je me préparais, je l'entendis repousser obstinément la sollicitude de la grande :

« Laisse-moi, je m'habille toute seule. Laisse-moi tranquille. Je suis pas une poupée. Laisse-moi m'habiller toute seule! »

Le ton était hargneux et le silence de Marinette témoigna de son embarras devant un aspect de Viviane qu'elle ne connaissait pas.

Elle nous laissa déjeuner seuls dans la cuisine et rejoignit sœur Saint-Denis occupée à nettoyer à fond les salles de classe.

Tandis que nous mangions, je fis remarquer à Rifkèlè qu'elle n'était pas morte. Elle haussa les épaules :

« Qu'est-ce que t'en sais? On est peut-être morts tous les deux. Comment tu sais que tu es pas mort? »

Je bus une gorgée de mon café au lait en faisant un énorme bruit, exactement celui que condamnait sœur Sainte-Thérèse lorsque arrivait une nouvelle pensionnaire, ignorante des manières de la table.

« Si j'étais mort, ça, je ne le ferais pas! »

Nouvel haussement d'épaules.

« Tu as déjà été mort. Tu ne le sais pas. Moi je le sais. Germaine m'a tout dit. »

Je ne comprenais rien à ce qu'elle racontait. Plusieurs fois elle m'avait affirmé que j'avais « déjà été mort », mais je ne la prenais pas au sérieux. Elle continua pourtant de soutenir ma mort avec certitude. Elle avait même vu la tombe où était gravé mon nom et incrustée ma photographie.

***

Avec Mme Meynard et Germaine, à Vablé-sur-Huisne, elle allait tous les dimanches au cimetière. Et puis aussi les jours de semaine, pour les enterrements. Elle n'allait jamais à l'école. Elle préférait les enterrements des enfants. Il y avait toujours beaucoup de fleurs. Les dames portaient de grands voiles noirs sur leurs visages. Je lui dis que moi aussi j'étais allé à l'enterrement d'un enfant, une petite fille, Viviane Peyrac.

« Tu vois bien que je suis morte! Mais je suis revenue quand même; et toi c'est pareil. »

L'un des morts favoris de Mme Meynard était un petit garçon, Joseph. Joseph Meynard, son petit-fils, était mort bien avant la naissance de Rifkèlè. La vieille restait longuement près de sa tombe le dimanche lorsqu'elle faisait le tour de tous ses morts, et elle pleurait. Quand dans la semaine elle assistait à un enterrement, elle venait encore pleurer sur la tombe du petit garçon. Elle quittait le cimetière bien après les autres et déposait sur la pierre incrustée du nom de son petit-fils, une fleur dérobée sur une couronne du cortège funèbre.

Germaine et Rifkèlè l'accompagnaient toujours. Parfois elle préférait rester seule avec son Joseph. Alors elles erraient parmi les tombes en attendant. Rifkèlè lisait à haute voix les noms et les inscriptions gravés sur les pierres pour Germaine qui ne savait pas lire, mais qui connaissait presque tous les cadavres de l'endroit. Durant des mois, les épigraphes des tombes furent l'unique livre de lecture de Rifkèlè. Pendant ce temps, Germaine arrachait à des couronnes de perles, les fleurs défraîchies par le temps. Elle en faisait des colliers et des bracelets dont elle ornait l'enfant. Rifkèlè raffolait de ces bijoux multicolores et fins. Germaine finissait toujours par les lui reprendre avec véhémence, l'accusant de dépouiller les morts, menaçant de la dénoncer auprès de Mme Meynard. Rifkèlè ne comprenait pas la menace et pas même l'idée que prendre les fleurs de perles sur les pierres tombales fût un larcin.

La petite aimait bien Germaine, elle paraissait vieille et pourtant pleurait souvent pour un rien, comme une enfant. Mme Meynard disait que c'était une pauvre innocente. Parfois, Mme Meynard parlait avec Rifkèlè. Elle lui posait des questions sur ses parents, sa maison, l'école. Mais Rifkèlè se méfiait et répondait évasive, ou qu'elle ne savait pas. Mme Meynard souriait, disait qu'elle était aussi innocente que la pauvre Germaine, c'était pour ça qu'elles s'entendaient si bien. Rifkèlè avait peur quand Mme Meynard souriait. Elle ne souriait jamais avec les yeux, sa bouche s'étirait, parfois ses lèvres s'entrouvraient, on n'y voyait pas de dents. Elle souriait surtout en parlant de Germaine, ou en la voyant pleurer. Elle se moquait des jupes superposées que l'innocente prenait dans un petit réduit, où l'enfant n'avait pas le droit de pénétrer.

Un jour, en allant à l'herbe aux lapins avec Rifkèlè, Germaine emprunta le chemin du cimetière. Elles marchèrent le long de la route nationale. Quand l'innocente repérait l'herbe qu'elle cherchait, elle s'accroupissait, saisissait les touffes et un coup sec de la faucille tranchait le trèfle ou le pissenlit. La petite fille ramassait l'herbe coupée, et la glissait dans le panier de Germaine.

Elles grimpèrent le large sentier qui menait vers les morts, où demeurait toujours la trace du corbillard. Germaine poussa la porte du cimetière, puis fit un gros effort pour la refermer. Des grincements rompirent le calme de l'endroit. Rifkèlè eut envie d'aller voir la tombe de Joseph. Germaine l'accompagna. Elle avait bien connu le garçon, et même joué avec lui. Un jour il était mort, elle ne se rappelait plus pourquoi. Mais il reviendrait, les morts reviennent toujours. Selon Rifkèlè, je ressemblais au Joseph du cimetière. Je ne pouvais être que Joseph Meynard.

Au cimetière gisait une morte dont Germaine attendait le retour. Elle conduisit Rifkèlè à un caveau monumental et lui demanda d'y lire tous les noms inscrits. Quand la petite fille lut : « Marie Picard née Doucet 1849-1942 », Germaine l'interrompit, c'était cette morte qu'il lui fallait. Elle cueillit chacun des brins d'herbe qui poussaient autour du tombeau en murmurant : « Pour Marie Picard née Doucet 1849-1942, pour Marie Picard née Doucet 1849-1942... » Au fur et à mesure elle glissait sa récolte dans son panier et poursuivait sa mélopée. Cette herbe s'était nourrie du corps de Marie Picard née Doucet, les lapins allaient se nourrir de cette herbe et elle, Germaine, se nourrirait des lapins. A partir de ce jour, Rifkèlè refusa de manger du lapin quand l'innocente en sacrifiait un, pour ne pas devenir Marie Picard née Doucet. Comme elle s'obstina dans son refus, Mme Meynard se fâcha, cria, puis se calma et avec son sourire effrayant, déclara :

« Eh bien tu n'auras rien d'autre à manger, et tu mourras de faim. »

Et désormais, les jours où Germaine tuait le lapin, Rifkèlè jeûnait.

Le séjour de Rifkèlè chez Mme Meynard devait durer quatre semaines. Avant la fin du mois, une lettre parvint, qui demandait de prolonger la présence de la petite fille à Vablé-sur-Huisne. Rifkèlè ne reconnut pas dans cette lettre la manière dont sa maman s'exprimait. Alors elle devint encore plus méfiante à l'égard de la vieille. Elle ne savait pas de quoi elle la soupçonnait, mais confusément elle sentait qu'on voulait la soustraire à sa mère.

La Juive ne savait pas écrire le français, j'avais vu Mlle de Saurillac et même sœur Sainte-Thérèse rédiger des lettres pour Rifkèlè, sur les indications maternelles. Je ne lui en dis rien, comme si je me devais de garder un secret.

La petite demeura donc chez Mme Meynard qui se mit en tête de la faire baptiser. Depuis son arrivée à Vablé-sur-Huisne, Rifkèlè accompagnait toujours la vieille femme et Germaine à l'église. La totale ignorance liturgique de l'enfant avait surpris; puis la petite acquit très vite les gestes du rituel. Un dimanche, à la sortie des vêpres, la vieille aborda le curé. L'homme, sans son surplis de dentelle et son étole dorée, parut à l'enfant, triste et chenu, avec sa soutane noire et sa barrette carrée sur la tête. Il était gentil. Il demanda à Rifkèlè où étaient ses parents, ce qu'ils faisaient, quel était leur nom. Puis sans plus se soucier d'elle, il dit à Mme Meynard :

« Mais c'est une petite Juive! »

De stupéfaction le visage de la vieille prit l'expression de la poule qui repérait la présence d'un caneton dans sa couvée de poussins.

Rifkèlè avait toujours su qu'elle était juive; elle ne se

souvenait pas qu'on le lui eût jamais dit. Il devait y avoir là quelque chose de caché, et comme pour toutes les choses entourées de mystère par les adultes, il lui semblait les connaître sans les avoir jamais apprises. Elle était juive, comme elle était une fille et pas un garçon. C'était comme ça. Il allait de soi qu'être juive, était mal. Quand elle y pensait, elle imaginait que c'était mal parler le français, comme son père et sa mère, et tous leurs amis qui avaient de drôles de noms. Elle aurait voulu qu'ils parlent comme les parents des filles de son école, et que leurs amis s'appellent comme tout le monde. Ses parents venaient de Pologne. Elle croyait que les gens nés en France étaient des Français, ceux nés en Pologne des Juifs. Si elle parlait bien le français, on ne verrait pas qu'elle était juive. Elle fut surprise lorsque le curé l'eut débusquée. Elle se demanda à quoi il l'avait reconnue. Peut-être à son nom? Elle ne s'appelait pas Janine ou Odette ou Ginette comme les autres; chez Mme Meynard on l'appelait Rébecca.

Le jour où Mme Meynard reçut la lettre de la mère, d'autorité elle emmena l'enfant chez le curé :

« Allez viens! On va au presbytère. »

Rifkèlè eut peur. Qu'est-ce que c'était le presbytère? Et Germaine qui ne les accompagnait pas! Elle fut rassurée lorsque la vieille s'arrêta devant la porte sombre de la petite maison attenante à l'église; elle le savait, le curé habitait là. Une autre vieille vint leur ouvrir. Elle les introduisit dans un lieu sans fenêtre : elle allait chercher M. le curé. D'une porte entrebâillée, filait un peu de lumière. L'endroit était frais, dehors brûlait le soleil de l'été. Le curé arriva et les précéda dans la pièce d'où venait le jour. Il était vraiment très vieux et ne portait pas son drôle de chapeau noir. Rifkèlè voyait son crâne avec le petit rond rose, tout nu. Autour, les cheveux étaient blancs. Elle avait chaud dans cette pièce où elles étaient assises. Devant un guéridon, elle reconnut la Sainte Vierge de l'église sur laquelle, un jour, des garçons avaient lâché des hannetons par dizaines. Cette multitude éparpillée d'élytres dorés dans les rayons de lumière que filtraient les vitraux avait réjoui Rifkèlè. Elle était agenouillée et avait entendu des chuchotements. Derrière elle, deux filles exactement identiques réprimaient d'un même mouvement leurs rires dans leurs mains jointes. A ce moment la poigne de Mme Meynard s'était posée sur son épaule et elle l'avait entendue lui souffler de se tenir tranquille, de ne pas regarder les jumelles Dervaux si mal élevées. Quand Rifkèlè pour obéir à l'injonction s'était détournée, les jumelles en un même chœur lui avaient tiré deux langues.

Le curé demanda ce qui amenait Mme Meynard au presbytère; elle voulait faire baptiser Rifkèlè, elle trouvait dangereux d'avoir une Juive dans sa maison. Rifkèlè ne comprit pas le danger, ni ce que signifiait « faire baptiser ». Ce dont débattaient le curé et la vieille devait être important, mais elle s'en désintéressa jusqu'au moment où il fut question de sa mère.

« Je ne baptiserai cette enfant qu'avec l'autorisation de sa maman. »

Mme Meynard quitta le presbytère fâchée, en houspillant la petite. Dehors elles croisèrent les sœurs Dervaux. La vieille, tout à ses préoccupations, ne les vit pas. Rifkèlè reconnut les rieuses de l'église. Elle se retourna. Les deux sœurs esquissèrent le même mouvement vers la petite, elle eut encore droit aux langues jumelles tirées d'un même jet.

Des jours passèrent. Mme Meynard lui montra une nouvelle lettre de sa mère. L'écriture en était différente de la lettre précédente, affirma la vieille femme en lisant à voix haute. Rifkèlè écouta, mais ne reconnut toujours pas la manière de parler de sa maman. Sa mère ne lui écrivait pas, car elle ne savait pas écrire le français, par quelle magie pouvait-elle écrire à Mme Meynard en usant chaque fois d'une nouvelle écriture? Dans la lettre, la maman refusait le baptême pour sa fille. Mme Meynard grimaça de rage, et Rifkèlè eut peur.

La vieille attendit que tout le monde fût sorti de l'église après les vêpres, puis elle prit l'enfant par la main et l'emmena voir le curé dans la sacristie. Rifkèlè en fut ravie, c'était comme si elle entrait dans des coulisses. Elle avait toujours envie de voir les choses à l'envers. Quand elle habitait avec son père et sa mère, elle restait des heures devant l'armoire à glace pour tenter de se voir dans la chambre, avec les yeux de son reflet.

De la sacristie, elle vit l'église à l'envers qui lui parut plus grande, le porche lui sembla très loin. Appuyés contre une paroi, le crucifix et la bannière brandis aux enterrements par les enfants de chœur; sur des cintres, dans un coin, leurs robes et leurs surplis suspendus; posé sur une table, l'encensoir qu'ils balançaient à tour de rôle au risque d'en répandre le contenu. De la cassolette s'échappait un parfum que Rifkèlè vint humer discrètement, tandis que Mme Meynard montrait au curé la lettre qui avait suscité sa rage. Alors le vieil homme dit doucement qu'il ne pouvait baptiser l'enfant, à moins qu'elle ne fût en danger de mort.

Cette fois, Germaine avait assisté à l'entretien dans la sacristie. Lorsque le curé les raccompagna jusqu'au porche, puis prit congé pour se diriger vers la porte sombre de son presbytère, elle lui avait fait une révérence. Elle tenait Rifkèlè par la main. Toutes deux s'apprêtaient à suivre Mme Meynard au cimetière. Mais la vieille s'était retournée vers elles, agacée :

« Rentrez à la maison. Laissez-moi tranquille. Vous me contrariez. »

Quand elle fut hors de vue, la petite demanda à Germaine si elle était baptisée, et si elle avait été en danger de mort. L'innocente ne répondit rien, elle n'avait pas entendu l'enfant. Perdue dans un souvenir triste, elle laissait de grosses larmes glisser sur ses joues, le long de son cou. Dans un sanglot, elle articula que c'était vrai, le curé venait quand il y avait danger de mort; il était venu pour Marie Picard née Doucet. Rifkèlè avait l'habitude de voir Germaine pleurer, de l'entendre parler seule, elle n'y prêtait même plus attention. La chaleur était torride. Elles arrivèrent chez elles sans croiser personne. Les gens du bourg semblaient avoir été avalés dans leurs demeures après les vêpres. La maison donnait sur une cour intérieure. On y accédait par un escalier de pierre abrupt. Germaine claudiquait et, fatiguée, s'assit sur la première marche. Rifkèlè s'installa près d'elle, la regarda balancer son buste d'avant en arrière et l'entendit murmurer les malheurs de la pauvre Marie Picard née Doucet, la vieille mère de Mme Meynard, si méchamment brutalisée qu'elle en était morte.

Comme elle pleurait, la pauvre vieille, quand sa fille l'avait accusée d'avoir bu le fond de la bouteille de vin. Et Germaine dit la colère de Mme Meynard, et Rifkèlè voyait les lèvres étirées, entrouvertes dans un sourire édenté, et les yeux glacés. Elle voyait Marie Picard assise au soleil d'avril, sur une chaise, au sommet du perron. Pauvre Marie Picard, arrachée de sa chaise par une poigne rude, bousculée sur les marches, puis traînée dans la cuisine, affolée par les hurlements de sa fille :

« Ivrognesse! Tu n'as pas honte! Ivrognesse! Je t'apprendrai moi! Ivrognesse! »

Puis pressée, poussée dans le réduit où Germaine maintenant empruntait ses robes d'un autre temps, elle se tut. On n'entendit plus rien jusqu'au crépuscule, quand Mme Meynard envoya Germaine quérir M. le curé. Lorsque l'enfant de chœur franchit la porte du réduit, la vieille Marie Picard née Doucet était morte.

Les larmes de Germaine coulaient sur son menton, dans son cou, et elle se souvenait comment la vieille Marie Picard l'avait ramenée de l'hospice d'Alençon. Elle avait fait vœu d'élever, comme son enfant, une pupille si sa fille aînée, presque agonisante, guérissait. La fille guérit et Germaine, devenue depuis plus de cinquante ans le souffre-douleur de la miraculée, vivait avec la menace perpétuelle d'être renvoyée à l'orphelinat.

La tarte à l'oignon

La conviction de Rifkèlè quant au retour des morts m'ébranla. Pourtant la veille, dans le noir du dortoir, elle avait pleuré, persuadée qu'elle allait mourir.

« Tu as peur de mourir et puis tu dis que lorsqu'on est mort on revient toujours. Alors?

– Alors quoi?

– Alors ça n'a aucune importance de mourir, puisqu'on revient.

– Mais tu comprends pas? On revient, mais pas pareil! On ne se rappelle pas d'avant! Le Joseph Meynard, il est revenu Poupou, mais le Poupou il se rappelle rien du Joseph Meynard. Moi je veux rester moi; sinon, mon père et ma mère, ils ne reconnaîtront pas leur fille. »

Marinette pénétra dans la cuisine; Rifkèlè se fabriqua son visage d'angelot souriant et ne dit plus rien. La grande nous proposa de préparer le repas de midi ensemble, parce que sœur Saint-Denis était occupée au lessivage des classes. Nous allions commencer par faire une tarte à l'oignon. Elle sortit du hucher des quignons de pain dur, nous devions les mettre à tremper dans une jatte d'eau. Pendant ce temps, elle pela des oignons et les cisela en lamelles sur une planche. L'odeur des oignons me piquait les narines jusqu'aux yeux. Rifkèlè clignait des paupières pour protéger les siens. Tous deux, nous reniflions bruyamment. Marinette avait placé la planche à découper dans l'évier et laissé couler l'eau, elle garda pendant toute l'opération les yeux secs. Rifkèlè lui dit négligemment :

« C'est normal que tu ne pleures pas, tu as déjà l'air tellement triste! »

Cette remarque stupéfia Marinette, elle murmura :

« Tu es une sorcière. »

Et c'était vrai, elle avait l'air triste Marinette. Moi je ne l'avais pas remarqué. Maintenant je le voyais bien. Qu'est-ce qui la rendait triste? Était-ce de rester au couvent alors que toutes ses compagnes avaient rejoint leurs familles? Je comprenais mal qu'on fût triste de rester dans notre Maison. Rifkèlè lui demanda si elle s'ennuyait avec nous dans la cuisine. Marinette sourit, elle languissait de ses parents. Elle avait des parents? Elle n'était donc pas orpheline. Son père était prisonnier en Allemagne. Sa mère, ouvrière dans une filature des environs, avait disparu un soir, comme son frère Léon, parti pour les Chantiers de Jeunesse. Elle avait reçu une lettre qui l'informait de la disparition de son fils. Peu après, elle disparaissait à son tour. Dans les jours qui précédèrent, elle avait confié Marinette à Mlle Calas, son ancienne institutrice. Parfois l'adolescente recevait une lettre de son père, adressée au couvent. Ce premier Noël hors de sa maison la rendait triste. Je n'avais pas de parents, je ne comprenais pas que leur absence pût attrister. Des miens, je ne connaissais que l'absence.

J'avais écouté Marinette, mais j'étais surtout préoccupé par la réponse à Rifkèlè : « Tu es une sorcière. »

Sa présence avait fait éclater le cadre de mon existence. J'avais cessé d'être confiné dans la cuisine de sœur Saint-Denis et franchi la clôture. Rifkèlè une sorcière? Peut-être la réincarnation d'une sorcière jadis brûlée?

Elle, si questionneuse, était restée muette lorsque nous avions croisé le brasier qu'alimentaient Manou et la grand-mère de Viviane Peyrac la morte, comme si ces flammes lui avaient été d'instinct familières. Jacqueline Trigassier avait dit de la mère Peyrac qu'elle était un peu sorcière. Existait-il un lien obscur entre Rifkèlè et la femme en noir?

Les oignons incommodaient nos yeux et nous le montrions avec ostentation à Marinette; elle nous conseilla de quitter la cuisine. Rifkèlè suggéra d'aller aider sœur Saint-Denis dans son lessivage des classes. Celle-ci franchissait justement la porte qu'elle avait poussée du coude, les mains encombrées d'une grande bassine d'eau noirâtre. Elle la posa lourdement près de l'évier pour donner à Marinette le temps d'en retirer la planche couverte des lamelles d'oignons. Puis elle versa l'eau noire avec la serpillière qui apparut en un lourd jet épais, grise sur la pierre blanche. Elle la rinça, versa dans la bassine le contenu d'une autre qui chauffait sur la cuisinière qu'elle remplit et replaça sur le feu. Je lui demandai si nous pouvions l'accompagner. Encombrée de son fardeau, elle nous emmena dans la classe de Mlle de Saurillac. Tous les pupitres et leurs bancs avaient été rassemblés dans un coin, superposés. Dans la classe froide, le poêle n'avait pas été allumé. Je grelottais. Sœur Saint-Denis s'en aperçut.

« Allez! Bougez-vous un peu! Tiens Poupou emmène Viviane dans la salle de l'Asile. Dégagez-la pour que je puisse me la lessiver. Allez! Au travail! Ça vous réchauffera! »

Rifkèlè, un pauvre petit sourire figé dans les yeux, regardait tristement ailleurs.

Le cheval qui gravissait l'escalier de pierre

La salle d'Asile, habitée du seul grand crucifix noir au-dessus de la chaire de Mlle Calas, était lugubre. Rifkèlè s'assit sur l'un des petits sièges :

« Je suis la petite marchande d'allumettes et je vais mourir de froid comme l'autre Viviane Peyrac. »

Je fis mine d'ignorer ses paroles.

« Allez viens, on va débarrasser la salle, comme ça sœur Saint-Denis pourra nettoyer. »

Rifkèlè se devait d'abord de s'extasier sur les meubles bas de la classe. Pendant qu'elle grelottait admirative, je traînais les tables dans un coin. La petite fille vint m'aider.

Réchauffés, fatigués, nous nous assîmes par terre.

« Pourquoi tout à l'heure tu as dit que tu allais mourir de froid comme l'autre Viviane Peyrac?

– Parce que c'est vrai. Jacqueline Trigassier me l'a dit l'autre jour à la récréation.

– Qu'est-ce qu'elle t'a dit?

– Que quand l'autre Viviane Peyrac est morte, Mme Trigassier est allée la voir. Y avait la grand-mère, elle pleurait sa petite-fille devenue froide comme sa maman, et morte du même mal. Et quand elle est allée regarder la morte, elle l'a touchée et elle était glacée; et dans la maison, il faisait très froid et c'était sûrement ça qui l'avait fait mourir. Elle a dit aussi, la mère de Jacqueline Trigassier, que la Viviane morte était allée rejoindre sa maman, que c'était bien. Mais moi, ma mère n'est pas morte. J'ai pas besoin de la rejoindre puisqu'elle est pas morte. »

Le froid me reprit. Je me levai et proposai à Rifkèlè de demander un nouveau travail à sœur Saint-Denis.

Nous la retrouvâmes dans la cuisine où elle venait changer l'eau de la bassine. Quand elle nous vit arriver, ratatinés de froid, elle eut un rire qui me fit chaud.

« Moi qui voulais encore vous faire travailler, je crois que je vais me passer de vous! »

Elle nous quitta. Marinette avait disparu. Une odeur de pain chaud et d'oignons rissolés nous affama.

Rifkèlè m'avait inquiété; à l'entendre, il allait de soi que la fille d'une morte devait rejoindre sa mère. Or moi je savais bien que la Juive était morte. Est-ce que pour rejoindre sa mère Rifkèlè devait mourir? Je ne voulais pas qu'elle meure. Pour la première fois, je me demandai où étaient mes parents. Peut-être étaient-ils morts? Peut-être me l'avait-on dit et peut-être, comme Rifkèlè, avais-je refusé de le croire? S'ils étaient morts, devais-je moi aussi les rejoindre?

Nous nous étions assis à la table, le buste couché sur nos bras, nous nous taisions. J'entendis cogner à la porte qui donnait sur la place de la Fontaine. Rifkèlè voulut ouvrir. Je n'osai pas. Sœur Saint-Denis aussi avait entendu, elle arrivait en se pressant, essuyant ses bras et ses mains sur les pans de son sarrau bleu et abaissant ses manches. Je la suivis. Quand elle ouvrit, la mère Peyrac était sur le seuil, une mallette à la main. Nous nous dirigeâmes vers la cuisine où Rifkèlè demeurée seule, le buste affalé, se redressa stupéfaite, effrayée lorsqu'elle vit apparaître sa « grand-tante ». Sur son visage je lus comme un refus, elle paraissait vouloir repousser quelque chose. Elle fit mine de quitter la pièce, mais ses yeux fixaient la petite valise portée par la mère Peyrac.

Elle reconnaissait un objet connu jadis et longtemps oublié. La femme en noir s'approcha d'elle :

« Tiens, voilà les affaires de ta mère, les gendarmes me les ont rapportées aujourd'hui. »

Je regardai sœur Saint-Denis, elle avait pâli. Elle s'approcha de Rifkèlè, s'assit près d'elle :

« Tu as bien travaillé avec Poupou, je vous remercie tous les deux. Grâce à vous j'ai bien lessivé l'Asile. Les petits pourront s'asseoir par terre. »

La mère Peyrac avait posé sa charge, ce qui restait de la Juive.

Rifkèlè était livide. Avec cette prescience, apanage de l'enfance, je sus qu'à l'instant Rifkèlè devenait une autre comme j'étais devenu un autre depuis son arrivée. Je crus qu'elle allait pleurer. Ses yeux se figèrent. Dans ceux de sœur Saint-Denis, il y avait des larmes. Sœur Saint-Denis, la seule adulte à ma connaissance, qui ne perdit jamais cette faculté de l'enfance.

Elle remercia la mère Peyrac, la raccompagna jusqu'à la rue. Quand elle revint, Rifkèlè n'avait pas bougé, même son regard n'avait pas cillé. La religieuse s'approcha de la petite fille, la prit par la main, saisit la valise et me fit signe de suivre. Nous montâmes jusqu'au dortoir. Mon amie plaça la valise sur le lit de Rifkèlè et nous quitta. Dans le dortoir, le poêle ne serait allumé que vers la fin de l'après-midi, mais Rifkèlè insensible au froid, semblait vouloir demeurer près de la mallette. Je restai près d'elle.

« Je savais qu'elle était morte, mais je préférais pas le savoir. Je l'ai surtout su quand on m'a baptisée. On n'a pas demandé à ma mère si elle donnait son autorisation, comme quand j'étais chez Mme Meynard; c'est qu'on ne pouvait pas lui demander puisqu'elle était morte. Elle aurait jamais voulu, elle, qu'on me baptise. Je sais pas pourquoi, mais j'en suis sûre, elle aurait pas voulu. »

Le froid finit par nous faire regagner la cuisine. Marinette avait mis la table et sorti du four la tarte à l'oignon. Bien qu'il ne fût pas encore midi, la grande déjà installée, attendait avide nos approbations. Son regard brillait. De sa grosse voix, elle nous commanda de nous laver les mains et de nous asseoir près d'elle. Quand midi sonna, les trois religieuses apparurent. Après le bénédicité, sœur Saint-Denis affirma son impatience de goûter la tarte de Marinette. Dès les premières bouchées, les éloges, émis avec enthousiasme par mon amie, bienveillance par Mlle Calas, condescendance par sœur Sainte-Thérèse, suscitèrent l'exultation de Marinette. Mes appréciations admiratives et celles de Rifkèlè parurent lui donner la même joie, elle semblait enfin heureuse.

Au cours du repas, Mlle Calas nous rappela que nous étions à la veille de Noël, dans l'après-midi le couvent recevrait des visiteurs nombreux, il fallait débarrasser la cuisine pour laisser la place aux présents qui allaient être apportés. L'usage s'était établi depuis la guerre que les anciennes élèves de l'école apportassent le 24 décembre, des vivres que sœur Saint-Denis remisait soigneusement. Ces présents servaient à nourrir les religieuses et les pensionnaires dont souvent l'entretien était irrégulièrement ou incomplètement payé par leurs familles.

J'aimais bien cet après-midi d'offrandes, il y avait toujours quelques gâteries pour moi.

A quatre heures, la table de la cuisine, la huche, le buffet regorgeaient de victuailles. Cette année, promu à l'état de grand, je devenais utile et je participai au rangement. Tous les dons furent transportés dans une sorte de galetas sous le toit où je n'avais jamais pénétré, et dans le cellier, que j'ignorais tout autant. De nombreux lieux dans le couvent m'étaient inconnus. Tacitement j'avais respecté des interdictions pourtant jamais formulées. Les endroits où je n'avais pas été amené à pénétrer ne suscitaient pas ma curiosité. Toutefois une pièce, au rez-de-chaussée, m'intriguait. On l'appelait la « Chambre solennelle ». Sœur Saint-Denis venait de temps à autre en cirer le parquet, alors je pouvais y pénétrer. De lourdes housses protégeaient les tapisseries de fauteuils sévères et de bergères aux formes douces et courbes. Je les entrevoyais les jours de printemps quand sœur Saint-Denis décidait de montrer au soleil cette pièce mystérieuse. Elle repoussait les persiennes toujours closes, ouvrait les hautes fenêtres qui donnaient sur la place de la Fontaine, et la pièce respirait. Dans le fond, face aux croisées, une alcôve avec un grand lit à baldaquin. La Chambre solennelle m'impressionnait par son caractère prestigieux, on y recevait l'évêque, lorsqu'il accordait à notre communauté l'honneur de lui rendre visite, et par son affectation austère. Cette pièce faisait office de chambre funéraire. Les religieuses y recevaient l'extrême-onction et y mouraient. Lorsque mon amie me raconta la destination funèbre de cet élégant salon, je sentis que la perspective de sa mort la laissait sereine car elle savait que sa vie s'achèverait dans le lit à baldaquin de l'alcôve. Peut-être devais-je à la Chambre solennelle, cette appréhension paisible que j'avais eue de la mort jusqu'à l'arrivée de Rifkèlè chez nous, et que m'avait communiquée mon amie.

***

Après les rangements, nous retournâmes dans la cuisine. Marinette et sœur Saint-Denis allumaient les poêles des chambres et du dortoir. Dans la semi-obscurité, Rifkèlè, le regard perdu dans les braises, songeait.

« C'est comment dans la Chambre solennelle? »

Je racontai le lit à baldaquin où s'achevait la vie de toutes les religieuses.

« Il y en a sûrement beaucoup qui sont déjà mortes dedans. Tu crois qu'elles aussi reviennent après leur mort?

– Oh, c'est sûr, les morts reviennent toujours. Elles veulent peut-être pas déranger, alors elles se faufilent la nuit quand tout le monde dort et que les poêles s'éteignent. Ça ne les gêne peut-être pas le froid? Si, ça doit quand même les gêner. Germaine m'a dit qu'elle avait enveloppé Marie Picard dans son grand châle rouge pour qu'elle soit bien au chaud, même que Mme Meynard avait été très fâchée, elle aurait voulu le garder pour elle le grand châle rouge. »

Je me souvins de bruits qui la nuit m'avaient intrigué. J'entendais des piétinements, des craquements. Je ne les identifiais pas; toutefois ils ne me causaient aucun effroi. Le matin, je les avais oubliés. Ils se répétèrent, je finis par me les rappeler. Selon sœur Saint-Denis, les craquements venaient du bois qui travaillait. Quel bois? Quel travail? Elle m'avait expliqué. Pour construire les maisons, il fallait non seulement des pierres, mais aussi du bois, on le prenait aux arbres. Or les arbres étaient vivants, même transformés en planches et en poutres, leur vie se poursuivait : ils faisaient des efforts pour soutenir leurs charges, ils respiraient. La nuit, dans le silence, on les entendait.

Plus tard, une pensionnaire avait perçu des bruits mystérieux, qui parcouraient la maison du bas vers le haut. Selon les filles, le bois ne se contentait pas de travailler, il gardait la mémoire. Les bruits nocturnes étaient le souvenir du martèlement des pas d'un cheval qui jadis gravissait toutes les marches de la Maison depuis le rez-de-chaussée jusqu'au grenier. Sœur Saint-Denis interrogée connaissait elle aussi l'histoire du cheval grimpeur. Naguère notre couvent avait été la demeure d'un riche seigneur. Le bâtiment d'école en constituait les communs, et la salle de l'Asile, l'écurie. Pour rejoindre la cour, il existait un escalier de pierre. Il partait de la porte principale sur la place de la Fontaine en un seul jet, jusqu'à ce qui jadis fût un patio.

Tous ses degrés, bas et larges, le seigneur les avait gravis sur la selle de son cheval. Les sabots de sa monture les avaient usés et leur avaient donné cette forme incurvée où il m'arrivait parfois de me tordre la cheville.

Que le bois de charpente de notre Maison eût gardé le souvenir d'un animal qui n'avait trotté que sur l'escalier de pierre, me laissa fort incrédule. Jamais cette histoire ne me convainquit et j'en restai à l'affirmation de sœur Saint-Denis, les bruits nocturnes venaient du travail de toutes les boiseries. Toutefois, l'évocation des religieuses, mortes dans le lit à baldaquin, ébranla ma conviction. Et si c'étaient elles qui revenaient la nuit et dont on percevait les pas?

Dans le silence, Rifkèlè murmura :

« Peut-être que cette nuit, pendant qu'on sera tous à la messe, elles vont revenir s'installer dans la cuisine. Peut-être même qu'on les entendra encore quand on ira se coucher et qu'elles seront dans la Chambre solennelle. »

Elle quitta sa chaise et se dirigea sans heurt vers

l'évier. Je l'entendis ouvrir le robinet, puis revenir vers la cuisinière. Dans la pénombre, je la perçus secouant ses mains au-dessus de la fonte brûlante qui gémit au contact des gouttes :

« Qu'est-ce que tu fais?

– C'est amusant de jouer avec l'eau et le feu.

– Mais il ne faut pas. Sœur Saint-Denis dit qu'il ne faut pas jouer avec le feu. Ça brûle et ça fait faire pipi au lit.

– Ma maman dit ça aussi. Une fois je me suis brûlée à la salamandre et j'ai mis de l'eau sur la brûlure. Ça m'a fait très mal.

– Alors pourquoi tu joues avec le feu?

– Ça me plaît. »

Marinette et sœur Saint-Denis pénétrèrent dans la cuisine.

« Qu'est-ce que vous faites dans le noir? Vous n'y voyez rien.

– Il ne fait pas noir. Le feu nous éclaire et puis moi j'y vois dans le noir. Et toi Poupou, tu y vois aussi. »

Marinette rit et affirma que seuls le diable et les chats voyaient dans le noir.

Je protestai; je savais que les yeux s'habituaient à l'obscurité, et d'abord il ne faisait pas si sombre, les braises de la cuisinière nous avaient éclairés. Je fus très véhément.

Rifkèlè demanda si elle pouvait monter dans le dortoir.

« Tu as déjà sommeil? » se moqua Marinette.

Non, elle voulait seulement voir son lit.

« Bien sûr que tu peux. »

Et sœur Saint-Denis fit avec sa main une caresse sur la joue de la petite fille qui ne se déroba pas. Je m'ennuyai bientôt de Rifkèlè et demandai la permission de la rejoindre.

Hors de la cuisine, toute la Maison me parut déserte et obscure.

Malgré le noir, je galopai dans l'escalier de pierre puis, à tâtons, je gravis les étages en bois qui menaient au dortoir. Un point lumineux venait du lit de Rifkèlè. Dans le poêle, les flammes se tordaient derrière la fenêtre du feu. Je m'approchai. Rifkèlè, assise en tailleur sur son lit, avait posé la valise de sa mère sur l'oreiller, le couvercle relevé, appuyé contre le mur. Les yeux fermés, elle semblait humer quelque chose, très profondément. Le point lumineux venait d'une petite lampe de poche posée devant ses genoux. Elle m'entendit et murmura :

« Ça sent maman. Tu es monté, pourquoi?

– Je m'ennuyais en bas, je voulais être avec toi. Tu étais toute seule. »

Ça lui était égal, mais je pouvais rester.

A l'intérieur du couvercle, un morceau de tissu jaune m'intrigua. Y était dessinée en noir une étoile semblable à celles que sœur Sainte-Odile nous faisait découper à l'Asile pour faire des guirlandes de Noël.

« Elle est jolie ton étoile. Mais qu'est-ce qu'il y a écrit dedans? »

Quatre lettres aux formes biscornues semblaient se tordre, comme brûlées par un feu invisible, pareilles à ces papiers que jetait sœur Saint-Denis dans la cuisinière et que j'aimais voir se recroqueviller dans un mouvement tournant dès qu'ils étaient léchés par les flammes. Je finis par lire le mot « juif » dans les lettres étranges.

« C'est joli. Qu'est-ce que c'est?

– C'est quand on est juif.

– C'est joli.

– Non, c'est pas joli. Odette a dit que c'était honteux et ça l'a bien fait rire.

– Odette? Qui est-ce?

– Odette elle est jeune, elle coud à la machine avec Maman. »

Un matin elle est venue à la maison. Il y avait plein de soleil. Elle portait une robe rouge toute neuve, avec un grand décolleté. Elle a dit que maintenant, il faudrait coudre sur ses habits une étoile jaune et elle a dit aussi que c'était honteux et que ça ne ferait pas joli sur sa robe rouge. Et elle a ri, et Maman aussi a ri. Moi j'étais contente, ça me plaisait d'avoir une étoile sur mes habits comme les fées sur les images. J'ai pensé que c'était honteux pour des dames d'avoir des étoiles cousues sur elles, parce que ça ferait comme pour des enfants. »

Près de l'étoile, sur une carte d'alimentation, en gros caractères noirs, un tampon : « JUIVE. » Effrayant ce mot ainsi imprimé, métallique, coupant, irrémédiable. Assise sur son lit, à la lueur de la lampe, Rifkèlè contemplait les objets posés à l'intérieur du couvercle. Je lui proposai de faire de la lumière. Ça lui était égal. Le dortoir éclairé parut encore plus triste. Tous les lits, sauf ceux de Rifkèlè et de Marinette avaient été vidés de leur literie, et les matelas roulés. Sur le crucifix, Jésus apparaissait plus douloureux que jamais. Un craquement dans le poêle attira mes yeux vers la cheminée. Sur le marbre noir, dissimulé par une nappe de dentelle empruntée à l'autel de la chapelle, une petite crèche avait été édifiée. Dans l'âtre, je reconnus nos chaussons. Je compris pourquoi sœur Saint-Denis nous avait conseillé de rester en galoches. Jésus allait rendre visite à la Maison pendant la messe de minuit. Ce Jésus triste et sanglant du crucifix, ou bien l'enfant de la crèche? J'appelai Rifkèlè pour qu'elle vienne contempler les santons sur la cheminée et je lui montrai les chaussons.

« C'est pas le Père Noël qui donne les jouets. Il n'existe pas. C'est les parents. Je le sais, c'est une fille de l'école de Paris qui me l'a dit. »

J'ignorais qui était le Père Noël et Rifkèlè ne voulut rien m'expliquer, ça ne l'intéressait pas. Elle sortit de la valise le sac de sa mère. Sa fermeture claquait sec lorsque la Juive après avoir exhibé l'image de sa fille, le refermait.

Rifkèlè ne l'ouvrit pas.

« Il y a la photo de mon papa dedans. Je l'ai vue. »

Je voulus la voir aussi. Elle refusa de me la montrer. La cloche de la cuisine sonna, il fallut descendre. Et je fus content parce qu'en bas j'allais retrouver la chaleur et la lumière. La cuisine était claire, sans mystère, vivante. Rifkèlè très lentement rangea les objets dans la valise, rabattit le couvercle, et la tira jusqu'au pied du lit.

Nous redescendîmes à tâtons, par jeu. J'avais agréablement peur et simultanément, je me sentais courageux d'affronter dans le noir l'escalier en spirale. J'avais conseillé à ma filleule de descendre en se collant contre le mur, comme je le faisais moi-même; elle jugea que c'était bête, qu'il fallait tenir la rampe; son père lui avait appris à descendre l'escalier du côté de la rampe. Puis elle me souffla qu'elle entendait des craquements qui venaient du grenier.

« Tu sais bien que c'est le bois qui travaille, sœur Saint-Denis en est certaine.

– Moi je crois que c'est les mortes de la Chambre solennelle. Elles attendent qu'on soit tous à la messe de minuit pour venir.

– Tu inventes.

– J'invente rien. Je sais que les morts reviennent toujours. »

Quelqu'un éclaira la cage de l'escalier. Marinette, envoyée à notre rencontre, s'étonna de nous voir encore dans le noir. Surpris par la lumière, qu'aurions-nous pu lui expliquer? Que nous jouions à avoir peur, à être courageux?

« Vous êtes comme deux chats! Allons, venez. Il y a une surprise. »

Rifkèlè murmura :

« On est peut-être deux chats revenus. »

Je ne voulais ni être ni avoir été chat. Je haussai les épaules, avide de connaître la surprise.

Sœur Saint-Denis puisait avec sa louche dans la soupière blanche, quand ma grand-tante me regarda, regarda Rifkèlè :

« Marinette va vous annoncer une surprise. »

Mon cœur se mit à battre avec une violence dont je me souviens encore. Jusqu'au mois de décembre, la vie s'était déroulée linéaire, il ne m'était jamais rien arrivé d'inattendu. Les événements marquants liés aux variations saisonnières s'inscrivaient régulièrement dans mon existence. Je ne savais pas ce qu'était une surprise, sinon celle d'un hiver ou d'un printemps précoces ou tardifs.

Je lisais beaucoup. Souvent dans mes lectures j'avais rencontré des situations semblables : on annonçait à des enfants une surprise, et naissait un petit frère ou une petite sœur, débarquait un oncle d'un pays exotique, apparaissait une gâterie longtemps désirée. Mais tout cela n'existait que dans les livres. Or voici qu'on m'annonçait à moi, une surprise! Rifkèlè avait pris son air fermé, indifférent, l'air de quelqu'un qui a déjà eu son trop-plein de surprises, son air d'élève impassible devant sœur Sainte-Thérèse.

« Georges, le grand frère de Jacqueline Trigassier, celui qui joue de la trompette, va venir nous chercher. On va faire la veillée chez eux. »

La grosse voix de Marinette en était assourdie d'émotion. Je n'avais jamais vu Georges, mais tout le monde dans le pays connaissait sa trompette. On l'entendait de très loin. Les rares fois où j'avais franchi la clôture avec sœur Saint-Denis et ses parents, le père disait quand la musique de Georges nous parvenait :

« Tiens, v'là le Georges des Trigassier qui s'entraîne. »

Un jour, je demandai à quoi il s'entraînait :

« Il a promis de jouer un *Te Deum* à l'église, le jour où la guerre sera finie. »

Je ne posai pas d'autres questions. J'avais déjà suffisamment interrogé sœur Saint-Denis sur la guerre pour savoir que ses réponses ne m'éclaireraient pas. Toutefois j'aurais bien voulu savoir ce qu'était un *Te Deum,* mais déjà on parlait d'autre chose. J'imaginai une musique d'église et la trompette du Georges, longue et dorée comme celles des anges de mes images pieuses. A Georges lui-même, je voyais une chevelure blonde et ondulée, l'air à la fois serein et joyeux, plein de ferveur.

Ma grand-tante me demanda si j'étais content. Oui, j'étais content d'avoir une surprise, je n'en avais jamais eu.

« Et toi Viviane, tu es contente?

– Oui mademoiselle. »

Ce fut une autre surprise : Rifkèlè avait appelé ma grand-tante, mademoiselle. Spontanément elle disait madame. Or sœur Sainte-Odile tenait à mademoiselle. J'avais été chargé de préciser à ma filleule, chacun des titres à donner aux trois religieuses. Elle avait consenti à nommer sœur Saint-Denis et sœur Sainte-Thérèse ma sœur – encore qu'elle n'appelât jamais cette dernière; mais mademoiselle pour ma grand-tante lui semblait incongru, Mlle Calas était bien trop vieille pour être une demoiselle.

On entendit le heurtoir à la porte qui donnait sur la

place de la Fontaine. Sœur Saint-Denis alla ouvrir au Georges.

Il tenait à la main une lanterne où brûlait une longue bougie blanche. Dans la cuisine il fit un grand salut à la ronde et souffla la flamme.

« Les petits ne sont pas prêts, s'excusa sœur Saint-Denis.

– Tiens, défais-toi un peu et assieds-toi sur cette chaise, et Mlle Calas poussa un siège vers son ancien élève.

– Merci mademoiselle. »

Il ôta son passe-montagne et ses mitaines, s'extirpa d'une énorme veste de drap brun, déroula une écharpe de son cou et s'assit avec un gros sourire. Rubicond, les yeux marron, les cheveux noirs plantés en épis désordonnés, très différent de l'ange trompettiste de mes images.

Marinette monta avec nous dans le dortoir. Informée dans l'après-midi de la surprise du soir, sœur Saint-Denis avait préparé des quantités de vieux châles qui devaient nous emmitoufler tous les trois. Marinette nous fit enfiler des bas de laine noire sous nos chaussettes, et couvrir de deux châles, nos manteaux.

« Prenez-en bien soin, ils appartenaient à des religieuses qui ont vécu dans le temps au couvent. Sœur Saint-Denis les a sortis d'un tiroir de la belle commode dans la Chambre solennelle. »

Tandis que nous descendions l'escalier en spirale, Rifkèlè lâcha la rampe et, hors de portée de l'oreille de Marinette, elle vint vers moi, collé au mur, dans une descente toujours périlleuse :

« Tu vois, je te l'avais dit, les morts reviennent toujours. Les religieuses mortes se sont arrangées pour faire sortir leurs châles du tiroir, et cette nuit elles pourront s'y envelopper bien au chaud quand nous serons rentrés de l'église. Comme ça, dans la Chambre solennelle, elles n'auront pas froid. »

Puis elle regagna sa rampe, et descendit en raclant avec les clous de ses semelles le bord des marches de bois.

Dans la cuisine, sœur Saint-Denis emmaillota nos galoches et celles de Marinette de vieux chiffons pour nous éviter de glisser sur le sol gelé. Les châles des religieuses mortes sentaient la naphtaline et le camphre, odeurs familières qui flottaient en permanence à la Maison.

« Vous allez faire la veillée chez les Trigassier. Vous nous rejoindrez à l'église pour la messe de minuit. Prends bien soin d'eux, Georges.

– Oui mademoiselle Calas. Allez, en route les enfants. »

Il s'était rhabillé. Je vis ses galoches, comme les nôtres entortillées de chiffons. Son visage, presque entièrement dissimulé par le passe-montagne, me parut moins rouge. Il ralluma sa lanterne et nous sortîmes.

La nuit de Noël

La nuit était claire. Il avait neigé. Je me sentais léger bien que tout engoncé dans mes lainages. Je ne comprenais pas ce qu'il m'arrivait. En quelques semaines, tout s'était accéléré, élargi. J'avais franchi la clôture sans la tutelle de sœur Saint-Denis, et aujourd'hui je dépassais les limites du temps. J'allais voir à quoi ça ressemblait de vivre le soir, j'allais même vivre minuit.

Nous étions les premiers à fouler la fraîcheur de la neige, épaisse par endroits. Avec un plaisir identique, nous y enfoncions nos pieds et jouissions de son crissement sous nos galoches. Les rues éclairées par les lumières des maisons m'étaient inconnues. Nous traversions un bourg différent de celui que j'avais vu dans le crépuscule, le soir de l'enterrement de Viviane Peyrac. Je connaissais la fontaine sur la place, même métamorphosée par la neige, mais je la connaissais en plein jour, ce soir elle était autre. Je pensai un instant que la nuit était magique.

J'appelai doucement : « Viviane. »

Dans le silence, ma voix pourtant timide parut tonitruante et fit sursauter Rifkèlè. Je l'appelai encore, amusé par l'épaisseur de la buée qui provenait de ma bouche et la sonorité curieuse de ma voix. Rifkèlè comprit le jeu et appela : « Poupou ! Poupou ! Poupou ! »

Elle gonflait ses joues et prolongeait les *ou.* Des flots de buée émanaient de ses lèvres. Je lui criai qu'elle ressemblait à un ange trompettiste. Et ma voix emplissait la rue, se répercutait contre les murs enneigés et me revenait, atténuée encore par mon passe-montagne. Comme grisés par le silence sonore et par le vide apparent du bourg qui nous rendait maîtres des lieux, nous nous élançâmes sur la chaussée. Dans un même élan, une même connivence de gambades et de cabrioles, nous caracolâmes d'un trottoir à l'autre. Marinette nous lança des poignées de neige, fit mine de nous poursuivre. Nous simulâmes une fuite gauche et pataude, entravée par les chiffons autour de nos galoches. La grosse voix de Georges interrompit les galopades. Il s'agissait maintenant de prendre au plus court, aussi allions-nous quitter les lumières pour la route derrière Cosne-Ferrou. Nous nous rapprochâmes tous les trois de la lanterne. J'eus un moment de crainte, l'émoi suscité par l'impression éblouissante de liberté me parut suspect : et si c'était une manifestation de complicité avec mon diable? La nuit était uniformément claire. L'absence de lumière électrique exaltait la sérénité du ciel. La neige que nul encore n'avait souillée, l'air léger qui nous enveloppait, évoquaient plutôt la pureté angélique que la corruption infernale. Rifkèlè, l'incertitude du raccourci passée, signala l'inutilité de sa lanterne à Georges. Le jeune homme sourit et souffla la flamme. La petite avait repris les gambades du bourg, choisissait les endroits où la neige paraissait plus épaisse et s'y enfonçait délicieusement. Puis elle extirpait ses pieds emmitonnés en donnant tous les signes de l'effort démesuré. Elle clama sa fatigue et qu'elle avait besoin de se reposer, et elle se coucha les bras en croix sur un monticule enneigé. Marinette agacée lui promit « une bonne crève », et Georges, qu'elle allait

« attraper la mort ». Elle m'approcha en s'ébrouant pour faire glisser la neige de son châle et de ses moufles.

« Il faut m'enlever la neige dans le dos, sinon les châles seront trempés et c'est les religieuses de la Chambre solennelle, cette nuit, qui attraperont la mort. »

Je ne voyais pas son visage, elle me tournait le dos, mais j'entendais son air narquois.

Elle franchit en courant le pont du chemin de fer et hurla :

« Houhouhou... Ici il fait tout noir ! »

Et l'écho étouffé renvoya : « ...tout noir ! » Puis elle s'arrêta net, le visage tourné vers nous, en attente de quelque chose derrière elle, qu'elle ne voyait pas, mais dont la présence lui était une certitude. Nous la rejoignîmes. Elle prit ma main et celle de Marinette. Je la sentais ralentir au fur et à mesure que nous approchions de chez la mère Peyrac. Lorsque nous l'atteignîmes, la porte de la maison s'ouvrit sur la femme en noir. Georges salua le premier :

« Bonsoir.

– Bonsoir. Bonsoir tout le monde. Tu sais que tu vas rester au couvent tout le temps maintenant ? »

Les yeux de la femme percèrent Rifkèlè. La fillette ne répondit rien. Nos mains étaient séparées par l'épaisseur de nos moufles; elle me serra très fort. Pourtant dans la lumière qui venait de la maison, je la vis demeurer impassible. Le chat fila entre nos jambes au moment où la porte claqua. Nous nous éloignâmes. Derrière les volets la femme noire hurlait sa rage contre l'animal.

Je compris alors pourquoi la mère Peyrac avait apporté la valise de sa mère à la fillette. Rifkèlè resta dans notre Maison. Jamais personne ne prit la peine de lui donner quelque explication que ce fût. Je constatai une fois de plus que mettre les enfants devant les faits accomplis était une prérogative des adultes.

A l'entrée du pont, coulait une fontaine. L'eau répandue, figée en glace, rendait le passage difficile. A cause du verglas, Georges avait voulu que nos galoches fussent emmaillotées comme les siennes. Nous franchîmes le pont précautionneusement. Georges promit de venir y répandre des cendres avant que nous ne le repassions pour nous rendre à l'église. Puis il lança un terrible « ouh-ouh! ». On entendit un chien aboyer et Mirot jaillit de nulle part, jappa et gambada autour du jeune homme. Rifkèlè se colla contre moi, je sentis que je n'avais pas le droit d'avoir peur.

Dans la cuisine des Trigassier, je ne reconnus rien. La lumière, l'air de fête, le feu d'enfer de la cheminée métamorphosaient la pièce que j'avais vue dans la pénombre quotidienne. Des guirlandes d'argent couraient sur les poutres brunes, s'entortillaient autour des saucissons et des jambons, puis retombaient dans le vide. Un petit chat, grimpé sur la table couverte d'un grand drap blanc, jouait avec l'extrémité de l'une d'elles qu'un vent coulis agitait. Avant même d'avoir ôté toutes ses laines, Rifkèlè jouait avec le chat. Jacqueline Trigassier interrompit le jeu, lui fit enlever châles, mitaines et manteau. Georges nous montra comment désentortiller nos galoches de leurs chiffons, qu'il mit à sécher sur le manteau de la cheminée. Il emplit un carton de cendre prise dans l'âtre et sortit avec Mirot.

La maison me parut pleine de gens qui surgissaient de partout. Je n'avais jamais vu tant d'hommes à la fois, sauf à l'église. Je vivais parmi des femmes et j'oubliais que le monde était également peuplé d'hommes. Je trouvai ceux de la maison Trigassier rieurs, agités, bruyants comme des enfants. Ils nous ignorèrent, tandis que les femmes qui semblaient connaître de nous une multitude de choses nous cajolèrent, me demandèrent si je n'allais pas trop languir de sœur Saint-Denis, à Viviane si elle se plaisait mieux chez la mère Peyrac ou avec Poupou. La question mua Rifkèlè en statue rigide. Comme frappée de mutité, elle sembla incapable d'articuler un mot. Je vis ses poings se serrer, devenir livides et je savais qu'à l'intérieur de ses paumes, s'incrustaient ses ongles en croissants de lune blafards. Avec Rifkèlè, chacun était interdit de questions. Seule, elle avait le droit d'interroger, et encore fallait-il qu'elle fût en confiance. Il lui arrivait de passer de l'insouciance à la méfiance farouche, voire haineuse, à cause d'une question.

Dès le début de la soirée, Marinette disparut avec Jacqueline; d'emblée elles avaient renoué une conversation amorcée pendant les derniers jours d'école.

Brusquement le silence se fit. L'un des hommes, après le retour de Georges, s'était approché d'un buffet placé au fond de la pièce. Il avait tourné le bouton du poste de T.S.F. qui y était posé. Mlle Calas en avait un semblable dans la cuisine, don d'une ancienne élève. On ne l'allumait jamais en ma présence.

Tous les soirs, dès que je franchissais le palier de l'escalier de pierre pour aller me coucher, quelqu'un branchait l'appareil. J'entendais les premières notes d'une musique, toujours la même, comme des coups frappés. Presque simultanément qu'elle éclatait, elle s'assourdissait, puis m'échappait au fur et à mesure que je grimpais les marches. Dans ces moments il n'y avait à la cuisine que les trois religieuses, les pensionnaires se tenant en salle d'étude. J'en avais déduit que la T.S.F. était interdite aux enfants quels que fussent leur âge et leur sexe.

Je reconnus la musique perçue le soir en allant me coucher, assourdie, difficilement audible. Elle me bouleversa. J'eus le sentiment de transgresser une interdiction et que Mlle Calas eût désapprouvé cette transgression. J'allais entendre ce qu'il ne fallait pas entendre. Mais je n'étais pas responsable! Je n'avais voulu commettre aucune faute. D'ailleurs, les adultes semblaient également accomplir un acte interdit. Tous avaient afflué vers le buffet, certains s'y étaient accoudés, d'autres assis sur un banc, à un bout de la table proche du poste, avaient le visage tendu. Rifkèlè, installée près de l'âtre sur un tabouret, tournait le dos à la scène. Le chat l'avait rejointe. Elle faisait mine de ne rien voir d'autre que l'animal. Or j'étais sûr qu'elle était attentive à ce qui sortait de la T.S.F. Je vins m'asseoir près d'elle. La main qu'elle agitait devant le chat portait dans sa paume la marque gravée de ses ongles furieux. Après la musique, martelée, familière, j'entendis, très faiblement, la voix d'un homme :

« Ici Londres, les Français parlent aux Français. »

Puis, un auditeur atténua le son. L'homme me devint inaudible. En même temps qu'il parlait, quelqu'un, derrière lui peut-être, actionnait un moulin à musique.

L'homme parla longtemps dans le poste, avec le moulin à musique en fond sonore, et je n'entendis rien de ce Français qui parlait aux Français. On coupa le son.

Un silence d'église se prolongea. Je regardai les gens, ils avaient l'air mystérieux, comme si réellement ils avaient écouté des paroles, une musique interdites. Je leur trouvai l'air coupable. Les uns après les autres, ils quittèrent le fond de la pièce. Peu à peu se recréa le brouhaha. Puis ce fut comme si personne n'avait rien entendu. Il y avait eu dans cette grande cuisine de ferme, d'autres gens, maintenant engloutis avec la lumière et la musique dans le poste. A présent, installés autour de la cheminée, étaient revenus les hommes et les femmes d'avant le poste. Une conviction m'habitait : certains avaient le pouvoir d'être plusieurs personnes différentes. Elles apparaissaient ou disparaissaient selon les moments. Ma grand-tante, qui réalisait en sa personne une trinité particulière, fortifiait ma conviction. Vraisemblablement lui dois-je d'avoir reçu dans l'enfance le mystère de la Sainte Trinité, sans jamais m'être posé aucune question. Pourquoi le Père, le Fils et le Saint-Esprit n'auraient-ils pas été réunis en une seule et même personne, puisque Mlle Calas rassemblait en elle-même la mère supérieure, sœur Sainte-Odile et ma grand-tante?

Presque tous étaient venus nous rejoindre près de l'âtre. On se serra sur les bancs. Je me retrouvai dans le giron de Léon, le grand fils Trigassier. Il s'agissait de faire de la place à tout le monde. Rifkèlè, placée d'office sur les genoux de Georges, n'y resta guère. Elle se coula doucement par terre et s'engagea dans la contemplation des flammes qui glissaient sur les bûches. J'attendais qu'il se passât quelque chose de différent, puisque j'avais franchi les limites du temps.

Tous paraissaient heureux; près de la cheminée, ils parlaient en patois, riaient; je n'entendais rien à ce qu'ils disaient. Des femmes, auxquelles s'étaient jointes les trois sœurs aînées de Jacqueline, dressaient le couvert pour le repas d'après la messe sur le grand drap blanc qui tenait lieu de nappe. Leur activité bruyante attira l'attention de Rifkèlè qui rampa entre des jambes, vint rejoindre les femmes et imposa son aide, moi aussi je voulus aider. On nous fit porter une grande panière de linge dans la chambre où nous avions participé à la construction de la crèche. Seule une guirlande de petites lampes éclairait la pièce. Nous posâmes la panière sur l'un des lits. La mousse récoltée près de la Source Rouge paraissait toujours aussi verte. Les épingles à tête de couleur, que Jacqueline y avait piquées, figuraient toujours de jolies fleurs. Rifkèlè voulut retirer une épingle à tête bleue et fit s'effondrer un large morceau de mousse. Elle éclata en sanglots. Je voulus la réconforter, l'assurai que personne ne la gronderait. Son chagrin paraissait inconsolable. J'allai chercher Jacqueline. Elle répara en un instant ce que Rifkèlè pensait avoir détruit; mais ma filleule demeura maussade. Nous retournâmes près du feu au moment où le père Trigassier ôtait, de sur le manteau de la cheminée, un énorme pot en grès. Rifkèlè me souffla qu'il allait sûrement faire des crêpes; et en effet, Georges installa une espèce de trépied parmi les braises sur lequel il posa une large poêle noire. Jacqueline l'enduisit de saindoux et y répandit une pâte fluide et onctueuse puisée dans le pot de grès; elle saisit la poêle, lui imprima un mouvement circulaire, et la pâte s'étala en blanches traînées irrégulières sur le fond noir qui bientôt disparut. Des bulles la percèrent, vinrent en crever la surface.

Une espèce de jeu s'instaura. A tour de rôle, des hommes et des femmes firent sauter la crêpe qui retombait languide dans le récipient noir; j'aimais cette harmonie qui faisait la crêpe docile, j'en oubliais presque le plaisir que j'aurais à la manger. Rifkèlè et moi fûmes autorisés à user de la lame d'un couteau, pour retourner une galette. Elle fit mine de vouloir faire sauter la crêpe, tout le monde éclata de rire, et la fillette mortifiée reposa la poêle sur le trépied, vint s'asseoir entre les jambes du grand Léon, me tira par les pieds jusqu'à ce que je vienne m'asseoir par terre près d'elle. Puis, elle vacilla doucement sur son séant et s'endormit. Je sentis à mon tour la somnolence me gagner, j'essayai de me battre contre le sommeil, je voulais voir comment c'était quand d'habitude je dormais; je fus impuissant contre ma fatigue. A mon tour je sombrai.

Lorsque Georges me réveilla, tout le monde était parti. Encore assoupi, j'eus vaguement conscience qu'on me glissait dans mon passe-montagne et mon manteau, et qu'on m'enveloppait dans les châles. Je ne voyais pas Rifkèlè. Son absence me réveilla complètement. Elle était déjà emmitouflée, mais continuait de dormir dans les bras de Georges, debout près de la porte. Ses pieds, avec ses galoches entortillées de chiffons, se balançaient à chacun des mouvements du jeune homme. Jacqueline Trigassier ouvrit la porte à Marinette, elle tenait la lanterne où brillait déjà la flamme de la bougie.

Dehors, je marchai derrière Georges. La tête de Rifkèlè reposait presque sur l'omoplate du jeune homme et brinquebalait à chacun de ses pas. Je vis ses yeux s'ouvrir, croiser mon regard, se refermer; doucement, appuyant ses poings sur la poitrine de son porteur, la petite fille se coula jusqu'au sol, vint prendre ma main et avança silencieusement. Je demandai s'il était minuit. Non, pas encore mais presque, il fallait se hâter pour arriver à l'église avant le début de la messe. Nous marchions à bonne allure. Rifkèlè accompagnait d'un grincement de gorge, le crissement devenu plus strident sous nos pas de la neige durcie : le jeu m'amusa et je grinçai aussi.

Dans les rues du bourg, régnait l'animation d'une matinée de fête. Des familles entières se hâtaient vers l'église, de jeunes enfants dans les bras. Parmi les plus grands qui marchaient dans la neige, je reconnus des compagnes et des compagnons de l'Asile. J'aurais voulu être le seul de ma génération, avec Rifkèlè, à pénétrer dans ce temps interdit qu'était la nuit pour les enfants. J'aurais voulu courir à la poursuite de je ne savais quoi. Rifkèlè n'avait pas lâché ma main. Malgré nos moufles, je la sentais comme agrippée à moi. Je croyais qu'elle aussi, pour la première fois, franchissait les limites du temps.

Sœur Saint-Denis nous accueillit devant le porche illuminé. Elle salua Georges et Jacqueline Trigassier, me prit par la main, puis précédée de Marinette, pénétra dans l'église. Rifkèlè ne m'avait pas lâché. Je fus ébloui par le scintillement des flammes sur les gros cierges, jamais encore je ne les avais vus allumés. Les fidèles semblaient aussi heureux que les gens à la veillée. Sœur Saint-Denis nous avait conduits à notre travée habituelle. Mlle Calas y était assise pensive, elle égrenait son chapelet. Notre arrivée lui fit lever la tête. Elle nous sourit, un sourire différent de ceux que je lui connaissais. Sans doute son sourire de la nuit. Quand elle perdait ses airs de mademoiselle Calas ou de sœur Sainte-Odile, il ne lui restait que son air de grand-tante. Marinette nous aida à nous débarrasser de nos laines. Comme elle s'amusait à me faire pivoter pour me dérouler de mes châles, j'aperçus, dans la lumière, la crèche géante entrevue le jour de l'enterrement de Viviane Peyrac. Un gros baigneur en celluloïd figurait Jésus. Du doigt je le montrai à Rifkèlè. Elle dit :

« Chez moi, dans ma maison, j'ai un grand baigneur comme ça. C'est Mme Zajac qui me l'a donné.

– Qui c'est Mme Zajac?

– C'est une dame; dans sa maison, tu entres dans une chambre, et au fond de la chambre, il y a une porte qui donne sur une autre chambre, avec une porte; et derrière, encore une autre chambre, et ça ne s'arrête jamais; il y a toujours une autre chambre derrière la porte.

– Qu'est-ce qu'elle fait dans une grande maison comme ça?

– D'abord c'est pas une grande maison. Chez elle ça a l'air tout petit. C'est les chambres qui ne s'arrêtent jamais. Et dans les chambres, il y a plein d'enfants. Chaque fois que je viens dans sa maison, il y a un enfant nouveau. Des fois c'est un nouveau garçon, la dernière fois que je l'ai vue, c'était une nouvelle fille. Madame Zajac, elle a plein d'enfants.

– Qui c'est Mme Zajac?

– ... »

Marinette s'était penchée vers nous. Je ne sus jamais qui était Mme Zajac.

La messe avait commencé, je me tournai dans tous les sens pour regarder les fidèles. Il y en avait partout, même dans les allées. Rifkèlè, dont les genoux, couronnés en permanence depuis son arrivée à Cosne-Ferrou, l'empêchaient de s'agenouiller, était assise sur une chaise paillée. Elle jouait avec le chapelet suspendu à la ceinture de sœur Saint-Denis qui semblait ne rien remarquer. L'indifférence de ma filleule m'était incompréhensible. Bientôt, elle se tourna vers l'arrière de l'église, s'accouda au dossier de sa chaise et s'endormit. Je dus m'endormir également. Je me réveillai sur un mouvement que fit Marinette à ma gauche. Elle s'était levée avec les autres, et j'entendis, dans une seule voix, toute l'église chanter.

« *Minuit, Chrétiens, c'est l'heure solennelle...* »

Je ne connaissais pas cet hymne. J'étais déçu, j'aurais voulu chanter comme à l'école :

« *Il est né le divin enfant...* »

Mais peut-être l'avait-on déjà chanté. Je n'osai demander à Marinette, honteux de m'être endormi. Je me levai comme les autres. Marinette me sourit des yeux en chantant. Rifkèlè dormait toujours, recouverte d'un châle. Je me demandai où était sœur Sainte-Thérèse. Je m'ennuyais un peu. Quand nous nous rassîmes, Marinette me souffla que M. le curé avait fait un joli sermon et parlé de Viviane Peyrac. Et puis j'ai perdu le souvenir de ce qui se passa après.

Ginette et le soldat

Je me réveillai dans le noir. Comment étais-je arrivé entre mes draps? Était-ce encore la nuit ou déjà Noël? Je m'étais endormi sans avoir recommandé mon âme à Dieu. J'étais peut-être déjà mort, bon pour l'Enfer.

Rifkèlè murmura : « Joue pas au cadavre. Je sais que tu es réveillé. Marinette est levée. »

Je me tournai de son côté :

« Tu as vu comment c'était la nuit?

– Hum... On n'a rien entendu dans la Chambre solennelle.

– Non. C'était la première fois que je voyais la nuit. Et toi? »

Elle non, ça n'était pas la première fois.

M. Henri était venu la chercher une nuit. Bien qu'il fût un ami de ses parents, elle ne le connaissait pas. Il portait des lunettes, et une casquette comme les contrôleurs dans le train. Sur la table, la lampe à acétylène ronflait, et pendant que M. Henri se disputait avec Mme Meynard, elle avait regardé la poudre répandue autour de la lampe. Germaine pleurait et Mme Meynard criait : « Rébecca, n'est-ce pas que tu es très bien ici? »

Rifkèlè n'avait rien répondu. Elle se doutait qu'elle était malheureuse chez Mme Meynard, mais c'était des choses auxquelles elle évitait de penser. Le matin même, la vieille lui avait enfoncé la tête dans ses draps mouillés, parce qu'elle avait encore fait pipi au lit. Quand elle habitait avec sa maman, ça ne lui arrivait jamais. Le premier matin, dans la chambre aux murs gris, elle s'était astreinte à se rendormir pour différer le moment où il faudrait se lever dans cette pièce étrangère. A son réveil, ses draps étaient trempés. Mme Meynard lui avait fait honte; ça n'était pas la peine, elle avait eu honte toute seule. Depuis, le soir, elle appréhendait d'aller se coucher, et dans le lit, elle redoutait de s'endormir, et puis elle s'endormait... et souvent se réveillait mouillée, honteuse, terrifiée d'avance par la colère de Mme Meynard qui hurlait que sans la pension qu'elle touchait, elle l'aurait depuis longtemps renvoyée à sa mère.

Ce soir, Ginette était là. Elle non plus ne voulait pas que Rifkèlè parte, et Rifkèlè ça l'ennuyait un peu de quitter la jeune fille. Mais Ginette était rarement à la maison. Elle travaillait à Nogent-le-Rotrou, dans un bureau avec des Allemands. Quand elle avait emmené Rifkèlè à Nogent, les Allemands l'avaient trouvée très mignonne. L'un d'eux lui avait donné un morceau de pain, en lui disant qu'à Berlin, il avait une petite fille comme elle, Ginette avait éclaté de rire. Une bonne journée cette journée à Nogent. Elles s'étaient promenées sur un pont au-dessus d'une rivière. Ginette lui avait acheté un bracelet de perles en lui recommandant de dire à Mme Meynard que c'était un cadeau des Allemands. Rifkèlè n'aimait pas mentir, elle se serait bien passée du bracelet. Le soir à table, elle voulut le dissimuler sous sa manche en le remontant sur son bras, mais le fil du bracelet craqua, les perles se répandirent.

Mme Meynard cria, Rifkèlè rougit et sentit ses yeux, puis sa tête gonfler, mais elle ne pleura pas. Quand Ginette dit que c'était un cadeau de l'Allemand du bureau, Mme Meynard hurla qu'elle était une menteuse, qu'elle avait pris l'argent dans le colis. Germaine pleurnichait comme chaque fois que Mme Meynard se mettait en colère. Ginette s'était dirigée vers le buffet, en avait sorti un petit carton, l'avait posé sur l'assiette de Rifkèlè dans un geste rageur : « Tiens! C'est à toi. »

Puis elle était partie.

Mme Meynard avait hurlé que Ginette était une putain. Rifkèlè s'était demandé pourquoi elle avait dit *putain* et pas *pétain.* Elle avait pensé que *putain* ou *pétain* était un même mot pour désigner un soldat. Ginette était une putain parce qu'elle travaillait comme les soldats allemands dans le bureau de Nogent-le-Rotrou. Elle ne comprenait pas pourquoi ça mettait Mme Meynard en colère. Avec l'école, elle était allée dans un grand stade à une fête pour le maréchal Pétain; elle avait chanté avec les autres petites filles :

« *Maréchal, nous voilà, devant toi,*
Le sauveur de la France... »

Là-bas, on avait donné à tous les enfants une belle feuille blanche, avec un discours du maréchal bordé de bleu et de rouge. A la maison, elle l'avait montrée à sa mère qui avait souri sans rien dire. Rifkèlè avait senti comme une désapprobation.

Dans le petit carton, Rifkèlè avait découvert une enveloppe avec l'inscription : « Pour Rifkèlè. » A l'intérieur une grande étoile jaune et un papier où l'enfant avait lu : « Avec l'argent ma Rifkèlè, achète tout ce que tu veux. »

Ginette revint un dimanche pour emmener Rébecca se promener. Rifkèlè s'était déjà promenée dans le cimetière avec Mme Meynard et Germaine. Mais elle ressortit avec Ginette. Elle aimait bien. Quand elle était là, Mme Meynard n'osait pas être trop méchante, parce que Ginette était jeune et criait encore plus fort que la vieille. Elle prenait toujours la défense de Rifkèlè. Ginette lui avait appris à faire des divisions et des multiplications. Elle disait que c'était son métier de faire des opérations.

La jeune fille et l'enfant marchèrent vers le cimetière. Près du croisement de la grande route et du chemin des tombes, un soldat allemand, tête nue, assis dans l'herbe, en les voyant se leva. Il remit son calot et vint à leur rencontre. Il caressa les cheveux de Rifkèlè et entoura de son bras les épaules de Ginette. Derrière le cimetière, ils grimpèrent le talus, puis, dans le pré, s'assirent sur l'herbe. Le soldat de nouveau ôta son calot, déboucla son ceinturon et avec le ceinturon vint le poignard. Ce poignard fascinait Rifkèlè quand elle habitait encore Paris. Elle le voyait partout dans la ville; dans la rue, dans le métro quand elle montait l'escalier derrière un soldat, son poignard lui battait le flanc. Et quand maman disait qu'il ne fallait pas faire la difficile, parce que c'était la guerre, Rifkèlè pensait au poignard sur la hanche des soldats. C'était ça la guerre, il ne fallait pas faire la difficile, et le poignard de tous ces hommes en uniformes.

Le soldat demanda à Ginette si la petite était sa sœur. Ginette répondit oui. Rifkèlè était fille unique et Ginette trop vieille pour être sa sœur. Elle avait dix-sept ans. Peu de temps après l'arrivée de Rifkèlè chez Mme Meynard, la jeune fille avait obtenu de son chef de bureau que son fiancé André fût rapatrié d'Allemagne où il était prisonnier. Le jour de ses dix-sept ans, Ginette avait reçu une lettre qui annonçait le retour d'André.

Le fiancé revenu, Ginette ne voulut plus le voir et André s'était mis en colère. De quoi qu'il aurait l'air maintenant? Il l'avait traitée de vendue aux boches. Et Mme Meynard avait crié que Ginette devrait avoir honte, et qu'elle allait la renvoyer à l'Assistance, et Ginette avait haussé les épaules en lui disant qu'elle essaye un peu.

Elle avait dix-sept ans Ginette, elle était trop vieille pour être sa sœur, le soldat allait sûrement se rendre compte qu'elle mentait.

Rifkèlè savait qu'elle ne devait pas regarder les deux jeunes gens. A Paris dans les trains du métro, il existait entre la porte et le dossier des sièges, un coin qu'occupaient toujours des amoureux. Ils se serraient fort l'un contre l'autre, même si, dans le wagon vide, personne ne les pressait. Ils s'embrassaient, le nez contre le nez; il était malséant de les regarder. Alors elle avait tourné le dos à Ginette et au soldat, et joué avec le ceinturon et le poignard.

Elle s'amusa à boucler, puis déboucler le ceinturon, à faire glisser le poignard dans sa gaine, le long de la lanière de cuir. Elle hésita longtemps avant de sortir l'arme de son fourreau. Elle se contenta d'abord de l'en tirer légèrement, puis, enhardie, dénuda rapidement la lame noire parfaitement symétrique, avec une espèce de sillon en son milieu. Elle ne prit pas le temps de voir si elle brillait comme les lames des autres couteaux. Elle la rengaina vite, plaça sur ses hanches le ceinturon bien trop grand pour elle, et se mit à déambuler le long de la haie, s'éloignant des amoureux. Elle s'amusa à sentir le poignard lui heurter le flanc au rythme de sa marche.

Elle tenta d'imiter le pas des soldats qui parfois débouchaient à Paris, rue de Cléry, près de sa maison. Ils jouaient une belle musique qui donnait envie de marcher en tapant des pieds sur le trottoir. Soudain, elle entendit les éclats de rire de Ginette; elle se retourna vers les amoureux. Le soldat était debout, l'air furieux. Rifkèlè lâcha le ceinturon, l'enjamba et se précipita vers Ginette qui ne cessait de rire.

Quand M. Henri cria très fort que Mme Meynard ne toucherait plus un sou pour Rébecca, la vieille alla chercher la mallette de l'enfant, en hurlant; elle en avait assez de cette pisseuse, elle devait lui ficher le camp tout de suite. M. Henri prit la petite valise et dit à Rifkèlè qu'il l'emmenait. Elle décrocha son manteau d'une patère. Pendant que Germaine geignait, Ginette ôta la mallette des mains de M. Henri, elle était vide. Alors elle alla prendre les affaires de la petite fille. L'homme aida Rifkèlè à s'habiller et prit l'unique pièce de son bagage. Ils sortirent dans la nuit. Rifkèlè ignorait où l'emmenait M. Henri. Sur la place de l'église, il lui dit qu'ils allaient au presbytère.

En écoutant le curé, elle comprit que, lors de sa précédente visite, l'homme à la casquette avait demandé si la petite était bien traitée chez Mme Meynard, et il avait laissé son adresse. Le curé avait sûrement écrit à M. Henri. Maintenant il fallait trouver une nouvelle nourrice jusqu'à ce que Rifkèlè puisse rejoindre sa mère en zone non occupée. Les adultes parlaient comme si Rifkèlè n'assistait pas à leur conversation. Sa mère n'était plus à Paris. Elle avait passé la ligne de démarcation. M. Henri ne savait pas comment. Il lui avait trouvé un passeur auquel elle avait donné de l'argent. Le jour du départ, le passeur n'était pas venu à la gare. La maman de Rifkèlè avait tout de même voulu partir, elle avait dit qu'il ne fallait jamais retourner sur ses pas. Elle avait eu de la chance. Plus de chance que l'épouse de M. Henri. Comme lui n'était pas juif, sa femme se croyait en sécurité et n'avait pas pris la précaution de se cacher. Quelqu'un l'avait dénoncée. Il avait décidé de sauver les enfants des amis de sa femme. C'était tout ce qu'il pouvait pour elle dorénavant. Il avait été baptisé, mais ne croyait en rien. Il voulait sauver les enfants parce que c'était son devoir. Rifkèlè se demanda s'il existait beaucoup d'enfants comme elle à sauver de Mme Meynard.

Le curé avait écouté M. Henri, puis affirmé que la petite fille serait bien traitée chez le jardinier du château. Sa maison était loin, il fallait s'y rendre tout de suite, avec le taxi du café derrière la place. Rifkèlè n'était jamais montée dans une auto. Elle s'endormit sur la banquette, contre sa valise.

Le lendemain à son réveil, elle reconnut les jumelles de l'église. Les deux sœurs la regardaient ricanantes. Rifkèlè crut à un cauchemar et se tourna vers le mur en tenant hermétiquement ses yeux fermés. Les jumelles s'approchèrent pour dire bonjour, d'une seule voix. Rifkèlè ne répondit pas, garda obstinément le dos tourné. Les jumelles piaillèrent : « Papa, la fille de l'église est réveillée ! »

Alors Rifkèlè ouvrit les yeux.

Assises en tailleur au pied du lit, identiques avec la même chemise blanche au col rond bordé de rouge, les mêmes cheveux noirs, courts et raides, les mêmes yeux rusés et le même visage taché de rousseur, elles appelèrent : « Papa, papa, viens voir elle a ouvert les yeux. Ils sont bleus comme ceux du bébé. »

Un homme entra, grand comme l'était son père, en

caleçon long et en tricot de flanelle. La paupière à moitié fermée laissait voir quelque chose de suintant, rose et rouge.

Une des jumelles cria : « Papa, tu as oublié ton œil. »

Et l'homme sortit pour revenir avec un œil à la place de la chose suintante, rose et rouge.

J'interrompis Rifkèlè. Elle racontait n'importe quoi! Un homme ne pouvait à son gré ôter et remettre son œil dans son orbite! Elle haussa les épaules, ça lui était égal que je ne la croie pas, elle savait que c'était vrai; d'ailleurs, je n'avais qu'à demander à sœur Saint-Denis, mais sans lui dire qu'elle m'avait parlé du jardinier du château.

« Pourquoi?

– Je ne sais pas. M. Henri a dit qu'il ne fallait pas en parler. Faut pas parler non plus de la T.S.F. hier soir chez les Trigassier.

– Pourquoi?

– Je ne sais pas. Le jardinier il écoutait la T.S.F. aussi, et il disait qu'il fallait pas en parler. »

Les volets étaient tirés. Bien que la lumière du jour perçât à travers les persiennes, nous avions parlé dans l'obscurité. Nos yeux s'y étaient accoutumés. Quand la porte s'ouvrit, je m'attendais à voir paraître Marinette ou sœur Saint-Denis. Je vis la silhouette d'une religieuse, plus petite que mon amie, et bien plus droite que sœur Sainte-Odile. Quand elle appuya sur le bouton électrique, je reconnus Marinette. Rifkèlè fit un bond dans son lit, se précipita sur la grande fille, demanda si « la sœur Marinette avait bien dormi », tenta de glisser un doigt entre la joue de la fausse religieuse et sa guimpe. Marinette se dégagea. Son air de réserve, inhabituel, nous intimida.

« Sœur Saint-Denis m'a dit que c'est en essayant le costume de religieuse que lui est venue la vocation.

– C'est quoi la vocation? »

Marinette ne répondit rien.

« C'est l'habit de qui que tu portes?

– Mlle Calas me l'a prêté, mais ce n'est pas le sien. Elle m'a donné le gros chapelet que j'ai à la ceinture. Elle a dit que c'était pour Noël. »

Je lui trouvai l'air encore plus triste avec cet habit, Rifkèlè était de mon avis :

« Peut-être qu'avec des fleurs ça ferait plus joli, comme la sainte Thérèse de l'Enfant Jésus qui est couverte de roses. »

Elle se glissa sous son lit, en tira une valise d'où elle sortit je ne vis quoi, qu'elle épingla sur le cœur de Marinette. Une étoile jaune éclatait en une tache lumineuse sur le costume sombre. Ma grand-tante pénétra dans le dortoir. Elle venait s'enquérir de nos premières impressions de Noël.

« Alors mon Poupou et toi Viviane, qu'avez-vous trouvé dans vos chaussons ce matin? »

J'allai vers la cheminée, suivi de Rifkèlè apparemment indifférente. Nous y trouvâmes deux chapelets identiques, blanc et argent. Le visage de ma filleule s'anima. Elle prit son chapelet, le glissa autour du poignet, l'enroula plusieurs fois, enfin le mit autour de son cou, avec la croix sur sa poitrine. Mlle Calas lui recommanda de le porter avec plus de modestie. Rifkèlè ne comprit pas le conseil et garda son chapelet en sautoir. Puis ma grand-tante s'approcha de Marinette, posa un doigt sur l'étoile et voulut savoir d'où la grande fille tenait cela. Rifkèlè sentit un danger.

« C'est moi. Maintenant que j'ai celle de ma mère, ça m'en faisait deux, j'en ai besoin que d'une seule, alors je lui ai donné la mienne. Ça fait plus joli sur l'habit. »

Ma grand-tante affirma que Viviane n'avait pas besoin de ça ici, ça ne décorait pas du tout l'habit de Marinette.

Elle détacha elle-même l'étoile et exigea que Rifkèlè lui donnât l'autre. Rifkèlè se rigidifia. Je vis ses poings se fermer et ses yeux fixer le tissu jaune dans les mains de Mlle Calas :

« Je peux la reprendre s'il vous plaît ? Je vous promets de ne plus la donner à Marinette. »

Sœur Sainte-Odile la lui tendit en soupirant. Rifkèlè murmura merci en reprenant son étoile. Ma grand-tante avait l'air triste.

« Allons les enfants, allez vite faire votre toilette et venez nous rejoindre dans la cuisine. Il est presque midi. Marinette, pousse les persiennes pour donner du jour. »

Les œufs dans la grange, chez le jardinier du château

L'ARRIVÉE de Rifkèlè à Cosne-Ferrou demeura longtemps dans mon souvenir comme une charnière. Avant Rifkèlè, existaient la chaleur de la cuisine de sœur Saint-Denis, l'Asile, la gentillesse des grandes, le franchissement exceptionnel de la clôture symbolique du couvent avec mon amie. Avant Rifkèlè, je me coulais dans des images, j'étais une pièce dans un cérémonial de vie, dans un rituel qui prolongeait celui de l'église et dans lequel même ma terreur du péché s'inscrivait, tout comme cette lutte entre mon ange et mon diable gardiens dont j'étais l'enjeu. Avant Rifkèlè, j'étais un enfant solitaire, et par le cadre où j'étais élevé, réellement enfant unique. Je ne me percevais pas comme une personne autonome, je me ressentais comme le prolongement, ou comme une partie du couvent.

A partir de Rifkèlè... Noël 1942... L'arrivée de Rifkèlè me rendit à moi-même présent. Avec les autres, la petite fille paraissait passive, comme inintéressée. Parfois pourtant, elle les scrutait, fixait leurs yeux, en attente de je ne sais quel signe, il arrivait que sa respiration même semblât comme suspendue. Dans ces moments, j'avais peur pour elle, je ne savais pas pourquoi. Avec moi seul, tout dans le moindre détail jouissait à ses yeux d'un intérêt constant : jamais d'absence brusque, jamais d'attente inquiète dans le regard. Près d'elle, je me suis senti devenir important. Elle m'emmena dans son sillage de vie. Sa curiosité me fit curieux, son mutisme me rendit attentif à ce qui le suscitait. Les récits qu'elle me fit à cette époque s'inscrivirent dans mon souvenir, avec la même précision dont les livres que je lisais imprégnaient ma mémoire.

***

Je fis au cours des vacances de Noël, un rêve bref, dont l'angoisse me point encore à sa seule évocation. Je roulais sur une montagne d'œufs, ils me saisissaient, m'engloutissaient dans une masse molle et gluante. A mon réveil, je sus que ce rêve me venait de Rifkèlè, d'une trouvaille dont elle avait été à l'origine, lorsqu'elle vivait chez le jardinier du château.

On accédait à la maison du jardinier par un chemin de terre qui grimpait depuis la route nationale et se poursuivait jusqu'au château. La pente en était raide. Le jardinier vivait là avec sa femme qui venait d'accoucher d'un garçon, et ses jumelles. Les deux sœurs chuchotaient toujours, ricanaient sans fin, se tiraient leurs cheveux dans des batailles ignorées par Rifkèlè. Elles allaient à l'école. Rifkèlè n'y fut jamais envoyée. Souvent la nuit, le bébé hurlait. La mère des jumelles se levait, Rifkèlè l'entendait quitter son lit pour prendre l'enfant dans son berceau. Les hurlements cessaient. Elle la voyait traverser la chambre des filles et se diriger vers la cuisine. Rifkèlè, une nuit, l'avait suivie.

La mère portait sur sa chemise de nuit ouverte, un grand châle bleu dont un pan enveloppait le bébé. Rifkèlè, comme hypnotisée par les seins de la femme, s'était approchée. Surprise par la présence de la petite fille, la nourrice avait sursauté. La bouche du nourrisson avait glissé et un jet de lait giclé jusqu'au visage de Rifkèlè. Les hurlements du bébé avaient repris, puis cessé dans un calme goulu.

Rifkèlè, assise en face de la nourrice, avait regardé les seins de la mère et la tête de l'enfant : trois œufs géants, semblables en bien plus gros, à ceux découverts de l'autre côté de la route, dans la grange, derrière la barrière de bois.

Quand les filles partaient pour l'école et que la mère s'occupait de sa maison, le jardinier allait au château et Rifkèlè se promenait. Rien ne lui avait été recommandé. Elle allait, venait. Ponctuelle aux heures des repas, elle apparaissait, puis disparaissait.

Derrière la maison, dans une petite basse-cour, la nourrice élevait quelques poules. Parfois Rifkèlè l'accompagnait et ramassait les œufs encore tout chauds; leur chaleur était bonne, elle jouait à la goûter sur ses bras, sur son cou, sur ses yeux fermés. La nourrice la voyait se caresser de cette chaleur et souriait. Une poule ne pondait pas. Un jour, Rifkèlè surprit la poule stérile qui chantait sur la barrière, de l'autre côté de la route; elle s'était approchée. La poule effarouchée avait regagné la basse-cour rapide comme un coq en colère. Rifkèlè avait poussé la barrière de bois et très vite, dans un coin de la grange, découvert les œufs. Elle reconnut avec ses doigts le dernier pondu, encore tout chaud, s'en caressa les paupières, puis le replaça avec les autres. Elle ne dit rien de sa trouvaille, mais dès que les filles partaient pour l'école, elle allait revoir les œufs.

Quand le jardinier ne montait pas au château, il allait à la rivière le long de la grande route, en vérifiait l'écluse et le niveau. Rifkèlè ne comprenait pas ce qu'il faisait, elle l'admirait de susciter la montée ou l'écoulement des eaux. Elle lui imaginait des pouvoirs magiques, elle l'aimait bien. Lorsqu'elle s'était éveillée dans sa maison, le jardinier avait dit que lui et sa femme étaient ses parents nourriciers, et qu'elle pouvait les appeler papa et maman, et les tutoyer. Aussi Rifkèlè s'adressait-elle à eux, en les tutoyant, mais elle ne les appelait pas. Lorsqu'elle acquiesçait ou remerciait, une jumelle intervenait toujours pour la tourmenter :

« Oui qui? »

« Merci qui? »

Et l'autre poursuivait :

« Oui mon chien. »

« Merci mon chien. »

Et elles riaient. Rifkèlè ne les distinguait pas l'une de l'autre, c'était la même sorcière en double.

Le père nourricier aimait bien Rifkèlè; parfois, il lui jetait un regard complice de son œil unique. Le soir, il surgissait dans la chambre des filles et grondait les jumelles qui, dans le noir, jouaient à terroriser Rifkèlè. Il allumait l'ampoule du milieu, et on le voyait en caleçon et en chemise de flanelle, l'orbite vide. La fillette s'était habituée au visage nocturne du jardinier. Au début les sœurs l'avaient menacée de lui glisser l'œil de verre dans son bol de café le matin, de le subtiliser et de l'accuser du vol. Le mutisme de Rifkèlè les avait lassées. Son arrivée avait interrompu d'abord leurs batailles de chats sauvages, son indifférence les découragea, elles reprirent leurs chamailleries fraternelles.

Souvent le père emmenait Rifkèlè avec lui, elle le suivait comme un petit chien auquel, malgré son mutisme, il ne manquait pas même la parole. Elle ne parlait que pour répondre. Mais elle avait parfois des silences pleins de joie. Dès qu'ils étaient éloignés de la maison, en vue de la rivière, le jardinier prenait le poignet de la fillette.

Elle regardait cette grosse main sur son bras rond, elle aimait bien regarder son bras rond, ça lui rappelait Maman. Guidée, elle fermait les yeux, jouait à croire que rien n'était arrivé; au bas de la côte quelqu'un allait venir la chercher, celui qui l'avait amenée chez le jardinier. Non, pas lui, pas comme ça. On sonnait à la porte, elle restait fermée; pas d'agent de police, personne pour donner la feuille verte. Elle était couchée dans son lit avec *son* père et *sa* mère et ils allaient toujours dormir ensemble. Mais elle ouvrait les yeux, parce que le jardinier disait qu'elle allait tomber. A l'écluse, l'homme manœuvrait des objets métalliques auxquels on accédait par une passerelle étroite. Il lâchait le poignet de l'enfant, marchait devant, elle s'agrippait aux vêtements du jardinier et à une rambarde rouillée le long de la passerelle. Au-dessus de l'eau, derrière son compagnon, Rifkèlè se sentait en sécurité malgré sa peur. Elle lâchait la rambarde, arrondissait son bras libre au-dessus de sa tête, en regardait le creux, à l'endroit où la peau était douce et criait de plaisir, et l'écho de la colline lui renvoyait son cri. Elle jubilait d'être seule avec le jardinier et lui riait de l'excitation de Rifkèlè.

En revenant de l'écluse, ils passèrent près de la barrière de bois, en face de la maison. Rifkèlè raconta les œufs. Le jardinier, d'abord surpris d'entendre l'enfant parler si longtemps, puis d'apprendre que sa poule stérile pondait, la crut tout de suite. Ils entrèrent dans la maison chercher une corbeille. Rifkèlè retourna dans la grange récolter les œufs. Elle les prit l'un après l'autre, avec douceur. Puis, la corbeille tendue à bout de bras, elle déposa sa trouvaille dans les mains de la nourrice. Le jardinier lui fit alors une invite insolite, même sa femme en parut stupéfaite : « Allez viens, on va monter au château chercher le lait. »

Rifkèlè n'était jamais montée au château. Le jardinier n'y emmenait jamais personne. A la maison, on en parlait toujours de ce château. C'était là que travaillait le père. Il en rapportait des légumes, du lait, des histoires et des nouvelles, mais il était le seul à y aller.

« Viens, ça n'est pas loin. C'est là-haut sur la colline. »

Dans la direction indiquée par le jardinier, elle ne vit que des arbres dont les feuillages bruns et jaunes dissimulaient même le ciel.

Déjà il avançait sur le chemin recouvert de feuilles humides. Rifkèlè marchait, enfonçant ses pieds qu'elle traînait sous la masse feuillue. Pendant ce jeu solitaire, elle fut distancée par le jardinier. Alors elle prit peur dans le jour qui baissait. Elle voulut le rattraper. Elle pressa le pas. Elle le rejoignit. Lui n'avait pas ralenti.

La pente était raide. Rifkèlè essaya de rester à la hauteur de l'homme. Il avait oublié qu'elle marchait près de lui. Elle saisit sa main et il demanda si elle avait encore découvert quelque chose. Puis il rythma sa marche sur celle de l'enfant. Dommage que Pâques fût passé depuis si longtemps, avait regretté l'homme, maintenant c'était presque la Toussaint; on aurait pu croire que les œufs de la grange avaient été oubliés par les cloches revenues de Rome. Rifkèlè ignorait ce qu'étaient Pâques, la Toussaint et les cloches de Rome. Le jardinier l'avait regardée étonné, puis en riant il avait raconté qu'à Pâques, au printemps, les cloches des églises partaient pour Rome, très loin en Italie; elles en revenaient chargées d'œufs et les déposaient près des maisons où vivaient des enfants. A la Toussaint, on apportait des fleurs aux morts sur leurs tombes, mais ça n'était plus la saison des œufs. Alors Rifkèlè avait pensé à tous les morts du cimetière de Mme Meynard. Elle s'était demandé si quelqu'un se souviendrait de leur fête et apporterait des fleurs.

Il faisait presque nuit quand ils atteignirent le château. L'homme frappa à une porte près d'une fenêtre éclairée. Une femme ouvrit. Mais à peine eut-elle ouvert que déjà elle se détournait. Rifkèlè ne vit qu'une silhouette qui s'éloigna en disant : « Ah c'est vous monsieur Augustin. Je me dépêche. On m'appelle. »

Une sonnerie s'était déclenchée au moment même où la porte avait été ouverte.

Ils pénétrèrent dans un lieu carrelé de blanc depuis le sol jusqu'au plafond. Le battant qui perçait l'un des murs s'ouvrit lorsque le jardinier le heurta légèrement. Derrière elle, Rifkèlè reconnut un bidon à lait que certains soirs le père nourricier rapportait à la maison. Sa femme barattait le lait, ou bien en faisait du fromage ou le coupait d'eau, selon les jours. Rifkèlè assistait en silence aux diverses opérations. La mère nourricière l'ignorait ou la regardait narquoise, Rébecca n'avait sûrement jamais vu ça à Paris, hein? Et Rifkèlè disait qu'elle n'avait jamais vu ça à Paris.

A Paris, elle allait chercher du lait dans une boîte en aluminium, de la forme du bidon du jardinier. La crémière habitait rue de Cléry, à côté de sa maison. Comme Rifkèlè était une J2, elle n'avait droit qu'à un quart de litre. Sa boîte en aluminium était beaucoup trop grande pour si peu de lait.

Le jardinier n'attendit pas le retour de la femme, sortie à l'appel de la sonnerie. Il saisit le bidon et referma la porte. Dehors, ils descendirent la pente qui les ramena à la maison.

Depuis longtemps les jumelles étaient revenues de l'école. La mère leur avait raconté les œufs trouvés par Rifkèlè dans la grange. Elles en étaient encore tout abasourdies. Le soir dans la chambre, au lieu d'ignorer

Rifkèlè selon leur nouvelle manière, elles lui murmurèrent qu'elle était une diablesse, qu'elle avait pactisé avec le Diable, lui seul avait pu la guider vers les œufs. Elle avait « endiablé » leur père et il l'avait emmenée au château. L'une des jumelles grogna qu'elle avait peur de cette fille aux yeux bleus, elle allait sûrement les « endiabler » elles aussi. Puis tout se tut.

Le lendemain, jeudi, Rifkèlè n'avait pas eu envie de se lever. Les jumelles n'allaient pas à l'école, il faudrait subir leurs moqueries, leurs méchancetés jusqu'à leur départ pour le catéchisme. Elles préparaient la communion du printemps prochain. Rifkèlè gardait les yeux fermés. Les jumelles ne lui faisaient plus vraiment peur, le jardinier l'en préservait, mais elles la dérangeaient, l'empêchaient de rester tranquillement avec elle-même. Elle aimait s'inventer des histoires, changer sa vie dans sa tête, penser qu'elle était ailleurs avec son père et sa mère, ou bien qu'ils allaient frapper à la porte tous les deux ensemble. Ils entraient dans la chambre et ils l'emmenaient; M. Henri leur avait donné l'adresse et tous les trois, ils allaient dormir ensemble dans un grand lit aux barreaux dorés. Rifkèlè gardait les yeux fermés, pour repousser le moment où il lui faudrait bien accepter que c'était jeudi et que les jumelles étaient à la maison, elle n'échapperait pas à leurs sarcasmes. Déjà elle les entendait. Elles répétaient qu'il fallait se méfier de la diablesse, la diablesse allait « endiabler » le petit frère. Alors Rifkèlè se dressa dans son lit. Elle raconta aux deux sœurs qu'au château il y avait une cuisine enchantée, sans domestique, sans personne. Tout le travail était exécuté par des êtres invisibles, ensorcelés, domestiqués par des magiciens, pour les punir de leur méchanceté. Seuls les gentils pouvaient y pénétrer, et en ressortir visibles. Les jumelles se turent, et Rifkèlè se leva.

L'après-midi, le jardinier emmena les trois filles ramasser des pommes à cidre. A chacune il confia une haute panière; elles devaient y mettre les fruits tombés.

Rifkèlè récolta dans l'herbe humide, des pommes petites et jaunes, tachetées de brun comme des bananes, elle les fit rouler ainsi que des balles dans la panière. Leur contact la surprit, mouillé et froid dans ses paumes. Leur odeur même était mouillée. Des pommes à sentir, à la saveur douceâtre.

Dans la brume, on ne voyait presque rien. Les jumelles jouaient les aveugles, se bousculaient, bousculaient Rifkèlè, leur père, s'excusaient, incriminaient la brume, accusaient Rifkèlè d'avoir renversé leurs panières, se ravisaient, se menaçaient réciproquement « d'endiablement par Rébecca ». Quand toutes les panières furent pleines, le père emmena les filles vers le pressoir, à mi-côte entre le château et la maison du jardinier. Les jumelles, frappées d'agitation permanente, couraient au loin, précédant les autres, revenaient sur leurs pas à toute allure, au risque de renverser Rifkèlè, s'arrêtaient net devant elle dont le cœur cognait la peur, et dont la main serrait celle du jardinier, indifférent aux diableries de ses filles.

Les yeux de l'homme au chien

JE passai une nuit terrible, enfermé dans la cuisine du château, tandis qu'y retentissait une sonnerie prolongée. Je voulais sortir, mais la porte percée dans le mur de faïence n'avait pas de poignée. Et sans cesse la sonnerie. Un chien bondit, me terrassa. Je m'éveillai de mon cri.

La veille, j'avais eu du mal à m'endormir. La petite fille, près de moi, s'était agitée dans son sommeil. Je l'avais entendue hurler : « Le chien! le chien! » Dans une demi-somnolence, j'avais vu Marinette s'approcher pour la rassurer.

Quand j'interrogeai Rifkèlè sur le chien de son cauchemar, elle ignora ma question. La nuit suivante, elle se plaignit dans un désordre de mots où émergeait encore : « Le chien! le chien! » Elle m'avait appris la discrétion, à son réveil, je m'abstins de lui raconter sa lutte nocturne. L'après-midi, quand nous fûmes dans la salle d'Asile, je lui dis mon rêve. Elle voulut savoir comment étaient la cuisine, le chien. Le chien ressemblait aux loups des livres, avec ses oreilles et son museau pointus, son poil ras.

Elle le connaissait ce chien, elle l'avait vu avant d'arriver à Cosne-Ferrou. Il semblait moins cruel que l'homme qui le tenait en laisse.

Un soir, M. Henri apparut dans la maison du jardinier. Il venait chercher Rifkèlè pour la rendre à sa maman. La nourrice prépara la valise, et dit à la petite fille de se coucher tout habillée parce qu'elle se lèverait dans la nuit, et irait prendre le train à Nogent-le-Rotrou pour retrouver sa mère. L'enfant n'eut pas le temps de jouer avec la nouvelle, elle s'endormit très vite. Quand la femme du jardinier la réveilla, la chambre était encore dans le noir.

Guidée par la nourrice, Rifkèlè noua ses lacets, but un grand bol de café au lait, émietta un biscuit dans sa bouche et entendit une voix lui promettre que maintenant elle ne serait plus séparée de sa mère. Dans la salle à manger, M. Henri buvait aussi son café. Le jardinier était levé. Avec son œil unique, en tricot et en caleçon, il semblait aussi fragile que le bébé. Il embrassa la petite fille. Il dit qu'un jour la guerre finirait, que le père de Rifkèlè reviendrait et que la femme de M. Henri reviendrait aussi. Puis, la petite quitta la maison avec l'homme à la casquette. Ils descendirent jusqu'à la route.

La lune brillait. Ils marchèrent le long de la rivière.

Elle avait froid. L'homme posa la valise et lui demanda d'imiter ses gestes. Il mit ses deux mains devant sa bouche pour les réchauffer, en même temps il frappait la route de ses pieds; quand les mains furent réchauffées, il s'en frappa les épaules, puis les flancs. Rifkèlè le trouva rigolo mais elle avait toujours aussi froid. Ils poursuivirent leur chemin. Jusqu'à Nogent-le-Rotrou, il leur faudrait marcher pendant dix kilomètres.

L'homme montra la première borne kilométrique à l'enfant. Bientôt, il lui en indiqua une plus petite et Rifkèlè en compta neuf jusqu'au kilomètre suivant. La marche ne lui sembla pas trop longue, occupée qu'elle était à repérer les bornes dans la nuit presque blanche.

Ils arrivèrent à temps à la gare. Dans le train, elle s'endormit sur les sièges en bois dur. A Paris, M. Henri la conduisit dans une maison dont elle ne vit qu'une pièce. Là, il confia Rifkèlè à trois dames, jeunes et jolies, qui n'arrêtaient pas de rire et ignoraient la petite fille. Elles parlaient d'enfants à livrer, à faire convoyer, puis elles s'entretinrent de Rifkèlè, comme si l'enfant n'était pas dans la pièce. Elles lui parurent coquettes : elles s'amusaient à essayer le manteau les unes des autres. En vérité, elles comparaient les manières astucieuses dont elles avaient cousu leurs étoiles jaunes, qu'elles dissimulaient en tenant serrés contre elles, leurs sacs à main. Quand je m'étonnai que ces dames eussent cousu une étoile sur leur manteau pour ensuite la dissimuler, Rifkèlè répondit par un haussement des épaules.

Le soir même, elle reprit le train. Elle dormit pendant tout le voyage. Une voix dans un haut-parleur annonça Saint-Étienne et la réveilla. Devant la gare attendait un autocar. Quelqu'un l'y fit monter, elle continua de dormir. Puis elle arriva chez une dame qui lui dit que sa maman l'attendait. Rifkèlè crut sa mère dans la maison. Mais non, il fallait attendre. Quand la fille de la dame reviendrait de voyage, elle emmènerait Rifkèlè jusqu'à sa mère.

L'enfant attendit plusieurs jours. Il ne venait jamais personne, on n'entendait rien. La dame partait le matin, rentrait vers midi, puis disparaissait jusqu'au soir. Rifkèlè passa des heures seule dans la chambre où elle se réveillait très tôt. Son petit déjeuner était posé près de son lit. La petite fille aimait cette solitude qui lui évitait d'avoir à parler. Elle se demandait si quelqu'un ne cherchait pas à l'engraisser comme Hansel ou Gretel afin de mieux la dévorer ensuite.

Elle parcourut chacune des pièces des deux étages de la maison, inhabitées depuis longtemps. Seul le rez-de-chaussée vivait. La dame avait dressé un lit de camp dans la cuisine et installé Rifkèlè dans une pièce contiguë où s'empilaient des dizaines de *Semaine de Suzette* et de *Lisette* sur un piano blanc, près du lit. La fillette s'était contentée d'abord de regarder le piano, puis elle s'était assise sur le tabouret noir devant le clavier, et découvert que son siège pivotait. Elle l'avait placé au milieu de la chambre, s'y était couchée sur le ventre, et avait tenté de pratiquer les mouvements de natation dessinés dans un numéro de *La Semaine de Suzette.*

Pendant des heures sur le siège qui tournait, les yeux fermés elle avait nagé, s'était envolée loin, avec ses bras largement étendus. Elle était sur un de ces manèges où la déposait son père parfois après l'école, lorsqu'il venait la chercher. Elle avait peur mais elle n'osait pas le dire, son père était content de la poser sur un cheval ou dans une calèche. Elle ne voulait pas le décevoir; il voulait toujours qu'elle soit comme les autres enfants, et elle voulait être aussi courageuse que les autres. Ils pleuraient pour monter sur le manège. Ils y étaient pleins d'assurance, elle, c'était tout le contraire.

Les yeux fermés, sur le tabouret, elle activait le mouvement du siège avec ses mains et ainsi prolongeait la présence de son père.

Un tissu, brodé comme l'étole du curé, dissimulait le clavier. Elle avait d'abord effleuré du bout des doigts les bouts des touches, ôté l'étole, écrasé de toute sa paume, de son poing fermé, les touches blanches et noires; elle avait quitté le siège pour découvrir debout les vertus des pédales, puis définitivement renoncé à ces vertus pour rester, des journées entières, assise sur le tabouret noir. Ses pieds ne touchaient pas le sol, signe absolu qu'elle était loin d'être une grande personne. Des adultes rencontrés çà et là affirmaient qu'elle était grande maintenant, elle se débrouillait très bien sans ses parents. Rifkèlè savait qu'elle ne se débrouillait pas très bien, métamorphosée en colis, trimbalée n'importe où. Seule sa mère pourrait rompre le maléfice; mais comment parvenir jusqu'à elle?

Elle chantait des chansons apprises à l'école, et s'accompagnait au piano, comme la maîtresse dans le préau. Elle chantait les refrains entendus aux T.S.F. voisines les jours d'été, à travers les fenêtres ouvertes de la rue de Cléry. Elle chantait qu'elle était « seule ce soir avec (ses) rêves » et qu'elle « attendrait le jour et la nuit », qu'elle « attendrait toujours (son) retour »... Il lui revenait des mélodies de sa mère. Alors, elle chantait avec une voix qui tremblait un peu, sans comprendre, sans savoir si les paroles de sa chanson avaient un sens, parce qu'elle l'avait oublié.

Depuis des jours et des jours, pour éviter le chagrin, elle louvoyait dans sa tête avec ses pensées. Il y en avait d'interdites, elles faisaient pleurer. Jouer à se confondre avec un personnage rencontré dans ses lectures, soumis à toutes sortes de complications, rassurait. Parce que dans les livres ça finissait toujours bien.

Chanter comme maman était dangereux, la rendait triste. Sa voix et sa langue revenaient. Rifkèlè savait qu'elle devait les oublier. La dame, un soir, était arrivée pendant que la petite cognait sur le piano, faiblement, du côté où les sons assourdis se font discrets.

Elle lui avait demandé ce qu'elle chantait, Rifkèlè s'était troublée, avec l'impression d'avoir commis une faute. Il ne fallait chanter qu'en français, avait dit la dame. Rifkèlè le savait, la langue de sa mère était interdite, elle l'avait toujours su. Maman ne s'en servait qu'à la maison. Dehors elle parlait français, mal, ça gênait Rifkèlè; mais sa mère préférait mal parler qu'user de la langue interdite hors de chez elle.

Des journées passèrent. Un dimanche, une jeune fille arriva, rieuse comme les trois dames de Paris. Le soir même, Rifkèlè reprenait un autocar, puis s'installait sur le siège en bois d'un train, comme si elle n'était jamais allée dans la maison avec les piles de *Semaine de Suzette* et le piano blanc. Encore une fois elle s'endormit.

Quand elle se réveilla, le train était arrêté en pleine campagne. Seule dans le compartiment avec la jeune fille, la tête sur les genoux de sa compagne qui l'avait recouverte d'un grand châle mauve, elle regardait l'autre banquette en face.

Un homme entra avec un chien.

Un Allemand. La visière de sa casquette plate descendait bas sur son front. Rifkèlè voyait bien les yeux de l'homme. Elle n'en vit pas la couleur, juste le regard. Ils l'effrayèrent bien plus que le chien-loup tenu en laisse. L'homme demanda quelque chose, Rifkèlè ne comprit pas. Sa compagne se leva et tendit des papiers à l'Allemand. Il les prit, les feuilleta avec la laisse du chien dans sa main. Rifkèlè s'était assise. Le chien la flaira sans méchanceté; il posa sa truffe sur le nez de la petite fille : c'était froid et humide. Elle n'en eut pas peur. Elle ne quittait pas l'Allemand du regard; lui non plus ne la lâchait pas des yeux. Il feuilletait les papiers, mais ne les vérifiait pas. C'était Rifkèlè qu'il examinait. Personne ne l'avait jamais scrutée ainsi. D'habitude, dans les yeux, elle rencontrait toujours un sourire ou une curiosité amicale. Elle ne devait jamais oublier ce regard dont elle crut qu'il la suspectait de tous les crimes, l'entendait penser la langue interdite. L'homme rendit les papiers. Sans un mot il repartit avec son chien.

L'Allemand disparu, la jeune fille vint s'asseoir sur le banc, reprit la tête de Rifkèlè dans son giron, et murmura qu'il fallait dormir. Le train s'ébranla lentement, gagna de la vitesse, lâcha un grand jet de vapeur en hurlant. Sa compagne serra la tête de Rifkèlè entre ses mains, l'embrassa et murmura à son oreille : « Ça y est, on a passé la ligne de démarcation, dors maintenant. Tu vas bientôt revoir ta maman. »

Au mois de janvier, on tue le cochon

Les vacances de Noël s'achevèrent le 4 janvier. Je le sais parce que Mlle Calas a conservé tous mes cahiers de la classe de sœur Sainte-Thérèse, et j'ai devant les yeux cette page du lundi 4 janvier 1943. Sous une frise de couronnes coloriées de jaune, j'affirme m'apprêter à recevoir les rois Mages et à adorer Jésus « comme ils l'ont adoré ».

Ce mois de janvier fut encore plus agréable à vivre que les vacances de Noël. L'ordre enseignant auquel appartenait notre Maison avait totalement intégré la vie paysanne d'où ses élèves étaient issues, tout comme les paysans avaient fini par s'arranger de l'obligation scolaire à laquelle étaient soumises leurs filles. Mais en soixante ans, certains usages n'avaient pas été abandonnés. A Cosne-Ferrou et dans les environs, on tuait le cochon en janvier, et le jour de l'abattage du cochon était jour de congé. Toutefois, ce jour variait selon les familles. Aussi, l'assiduité des élèves était-elle très instable au cours du premier mois de l'année. Pendant cette période, sœur Sainte-Thérèse ne faisait pas vraiment la classe. Souvent elle s'asseyait à l'harmonium, jouait des airs qu'elle voulait nous apprendre, nous l'écoutions mais nous ne chantions pas. L'harmonium dissipait sa dureté, elle ressemblait à sœur Saint-Denis. Elle était à cent lieues de la classe. Un bavardage, un murmure nous la ramenait. Son visage se refermait, retrouvait sa sévérité. Sèchement elle demandait pourquoi nous ne chantions pas. Elle n'aimait pas être prise en défaut. Personne n'osait lui dire que ce qu'elle jouait, nous ne savions pas le chanter puisqu'elle ne nous l'avait jamais appris.

Rifkèlè, très excitée par l'insolite de la classe depuis la fin des vacances de Noël, aurait bien voulu saisir quelle était cette fête où l'on tuait le cochon. Marinette suggéra : « T'as qu'à aller voir Manou chez la mère Peyrac. C'est ta tante. »

Rifkèlè pâlit, se statufia. Mlle Calas renchérit, c'était une bonne idée! Je n'étais pas de cet avis et je demandai la permission d'accompagner sœur Saint-Denis dans le dortoir où elle allait bassiner les lits.

Tous les hivers, elle aidait ses parents à l'abattage du porc. L'année passée, elle avait envisagé ma participation quand je serai dans la classe de sœur Sainte-Thérèse. Pendant que nous grimpions vers le dortoir, je lui rappelai sa suggestion et lui dis ma certitude du peu d'envie que Rifkèlè avait d'aller chez la mère Peyrac. Elle promit de demander à Mlle Calas, l'autorisation de m'emmener avec Viviane chez ses parents. J'avais osé, pour Rifkèlè, cette requête quasi clandestine, persuadé qu'on y accéderait. Sur mon cahier de classe, je reconnais la calligraphie de sœur Sainte-Thérèse : *Samedi 16 janvier 1943. Absent.*

A la date du lundi 18 janvier figure le « compte rendu du jour où on a tué le cochon ».

Quand une élève s'absentait, pour une quelconque cérémonie, des travaux aux champs, elle devait en faire le récit, le *compte rendu d'activité.* Une élève, absente parce que malade, se devait à son retour de rédiger un paragraphe où elle relatait sa maladie. Nous nous engageâmes à faire notre *compte rendu* et c'est grâce à celui-ci, dévotement conservé par ma grand-tante, que je puis dater l'événement.

La veille en fin d'après-midi, nous partîmes au rythme de la promenade, chez les parents de sœur Saint-Denis, pour que celle-ci fût à pied d'œuvre à la pointe du jour. Elle dormit dans son ancienne chambre, tandis que deux matelas, installés pour nous dans la cuisine, nous tinrent lieu de lits. Alors que tout le monde était déjà couché, Rifkèlè vint près de l'âtre. Avec le soufflet, elle essaya de ranimer le feu.

« Pourquoi tu fais ça?

– Je ne peux pas dormir. Je pense à ce pauvre cochon. Demain, on va lui couper le cou. »

Je savais bien que j'étais ici avec Rifkèlè pour « tuer le cochon », mais ça restait imprécis, à aucun moment je n'avais pensé qu'on allait lui couper le cou.

« Tu crois qu'on va couper le cou du goret de Jacqueline? Tu sais celui au ruban vert. »

Je n'avais rien à répondre et je regardais Rifkèlè attiser le feu. Elle portait une chemise confectionnée par sœur Saint-Denis qui lui donnait dans la pénombre la silhouette d'un ange – ou d'un démon. Je songeai à mes compagnons occultes entre lesquels, à force de vivre à mon affût, devait régner une telle connivence, qu'ils étaient peut-être devenus un seul et même être.

Un hurlement déchira mon sommeil. Ça venait d'à côté, juste derrière le mur. Je me tournai vers l'autre matelas, il était vide. Et le cri se prolongeait, perçant, aigu. Les filles à l'école m'avaient raconté le boudin chaud, les fricandeaux qui frémissaient dans la graisse, la bougnette, les lardons qui craquaient sous la dent;

cette souffrance, elles ne me l'avaient pas racontée. Je m'habillai. Le cri s'affaiblissait, n'en finissait pas d'être hurlé. Je poussai le battant qui séparait la cuisine de la porcherie et il cessa. La porte me masqua d'abord une partie du spectacle. Quand je la fermai, je vis Rifkèlè dans sa grande chemise. Elle me tournait le dos. Personne ne semblait s'apercevoir de sa présence. Sous la cuve, dans laquelle on préparait d'ordinaire la pâtée du cochon, le feu brûlait. On avait placé la bête sacrifiée sur un chevalet, près du seuil, pour la lumière. D'une plaie à sa gorge, s'écoulait son sang avec un bruit épais dans un seau. Il s'en dégageait une buée lourde. A un récipient plein, on en substitua un vide et j'entendis la sonorité liquide du sang sur le fond de zinc. Rifkèlè ne bougeait pas, elle semblait ne voir personne; quand je m'approchai, elle devina ma présence.

« J'ai froid.

– Alors va t'habiller. »

Elle disparut dans la cuisine. Je vis les gens. Je reconnus sœur Saint-Denis. Ses manches retroussées, elle emportait les seaux remplis de sang. Son père, près de la tête du cochon, tenait encore à la main le grand coutelas. La mère s'activait près du feu. Il y avait d'autres personnes que je ne connaissais pas. La lumière du jour gagnait sur la nuit. Dehors, en retrait, un homme affûtait un couteau en tournant la meule. Je m'approchai. Sur un billot, il avait posé plusieurs lames terribles.

« Ça tu vois, ce sont des couteaux de boucher, tu n'en as jamais vu de pareils dans la cuisine de sœur Saint-Denis, hein? »

Il rit très fort en me montrant de longues lames larges pour découper, et d'autres plus courtes et étroites pour dégraisser.

Près du chevalet, on avait placé l'auge remplie d'eau bouillante, et des bassines de tailles diverses. Le père détacha la tête de la bête et la posa dans un récipient. C'était curieux cette tête rose et souriante avec ses yeux fermés et ses oreilles dressées dans la lessiveuse. Elle ressemblait au saint Jean-Baptiste décapité de mon livre d'histoire sainte, les mêmes yeux clos, le même air serein sur un plateau.

La tête de la bête détachée, le père lui fendit le corps, et tous ses viscères se répandirent dans l'eau bouillante de la grande auge. Cette coulée gluante, bleutée et marbrée de rose me fascina. Rifkèlè se glissa près de moi.

« T'as vu ses entrailles! Même ça on le mange dans le cochon, tu crois? »

« T'as vu ses entrailles! » C'était donc ça les entrailles? Comment Jésus pouvait-il être le fruit des entrailles de la Sainte Vierge? Je devais avoir l'air dégoûté.

Des hommes s'agrippèrent de part et d'autre de la carcasse et l'ouvrirent complètement comme une boîte, les côtes apparurent avec le cœur et les poumons. J'aurais voulu regarder encore, mais sœur Saint-Denis nous ramena dans la cuisine, pour nous donner notre petit déjeuner. Nous mangeâmes d'un bon appétit.

Comme si elle m'avait entendu penser près du cochon étripé, Rifkèlè me parla des entrailles de la bête :

« T'as vu comme les couleurs sont jolies. Elles sont pareilles que celles de la robe de la Sainte Vierge. Peut-être qu'elle porte sur sa robe les couleurs de ses entrailles.

– Je me demande ce que c'est le fruit des entrailles?

– Tu sais pour les enfants c'est comme pour les gorets. Le goret au ruban vert est sorti du ventre de la truie. C'est Jacqueline Trigassier qui me l'a dit, et dans le ventre, t'as vu, il y a les entrailles. Les bébés sortent des entrailles de leur mère. Les grandes personnes n'aiment pas qu'on leur parle de ça. Je ne sais pas pourquoi. »

Rifkèlè avait raison, sœur Saint-Denis éludait toujours mes remarques concernant l'origine des petits des hommes, aussi bien que de ceux des bêtes, même Marinette devenait réticente. Aussi préférai-je considérer la voie où voulait m'entraîner Rifkèlè comme impénétrable. Pourtant, j'aurais bien voulu que quelqu'un me confirmât ce dont, instinctivement, je ne doutais quasiment plus : tous les enfants étaient issus des entrailles de leurs mères. Mais moi, de quelles entrailles étais-je issu? Qui me le dirait?

Mon secret, c'était ma grand-tante qui le détenait, elle seule savait qui étaient mes parents. *Mon secret à moi était un secret,* Rifkèlè avait trouvé cette formule. Elle m'avait même suggéré un moyen de le pénétrer. Il lui venait de Germaine.

Dans l'hospice, où l'innocente vivait avant d'être recueillie par Marie Picard, une vieille femme lui avait affirmé que si elle regardait longtemps dans un miroir, en y pensant très fort, elle verrait apparaître l'image de ses parents, à moins qu'ils ne fussent morts. Mais il n'existait pas de miroir à l'hospice. Chez la mère de Mme Meynard, elle fut souvent rabrouée parce qu'on la trouvait oisive devant l'armoire à glace, contemplant, croyait-on, son reflet.

« On n'a pas idée quand on est si vilaine de se regarder comme ça, sans arrêt! Si tu crois qu'il y aura un miracle! C'est pas la glace qui te rendra plus jolie! » Jamais Germaine ne parvint à se concentrer assez longtemps sur un miroir pour voir ses parents. Les années passèrent, elle y renonça; avec le temps ils avaient dû finir par mourir, à quoi bon vouloir les évoquer. A Ginette qui se regardait dans la glace de son poudrier, Germaine suggéra de découvrir ses parents, de les retrouver dans le miroir. La jeune fille haussa les épaules, on voyait le Diable quand on se regardait trop longtemps; elle referma le poudrier et le tendit en riant à Rifkèlè : « Tiens, si tu veux voir ton papa et ta maman. Essaie. »

Rifkèlè n'essaya pas. Malgré son désir de les revoir, elle ne voulait pas les montrer à ces gens ici, pas même leur reflet. Elle me proposa d'utiliser la glace trouvée dans le sac de sa mère. Je n'osai pas, la référence au Diable m'inquiétait. Et ce miroir lui-même m'apparaissait suspect : petit, couvert d'un enduit marron qui s'écaillait. Quel sérieux accorder à un miroir dont le tain s'effritait? Il aurait donné de mes parents une image écornée; je n'en voulais pas. Lorsque je demandai à Rifkèlè pourquoi elle-même n'en faisait pas usage, elle refusa de répondre.

Si j'en juge le *compte rendu d'activité,* il semblerait que le samedi précédent, j'aie passé mon temps à manger du fricandeau et de la bougnette dans un va-et-vient d'hommes surtout, et de femmes, dans des odeurs qui flattaient mes narines et mon palais. En réalité j'ai surtout gardé le souvenir d'une Rifkèlè stoïque.

Elle chantonnait que « le sort tomba sur le plus jeune » et que « ce fut lui qui fut mangé », quand elle se pencha sur la poêle où rissolaient des fricandeaux, pour en humer l'odeur nourricière. Un jet de graisse gicla sur sa main. Un hurlement. La mère de sœur Saint-Denis se précipita, m'envoya quérir l'épouse de l'homme aux couteaux qui *savait passer le feu.* J'avisai une femme aux cheveux blancs, à la figure placide. Elle me sourit. Je la menai vers Rifkèlè. Elle caressa la main de la petite fille dont le visage exprimait une terrible volonté. Après le hurlement, elle s'était tue. Ses yeux, rouges des larmes non versées, suivaient les mouvements des doigts qui caressaient les siens au rythme d'une psalmodie émise de la gorge, modulée par les lèvres. La guérisseuse *passa le feu :* la main brûlée apparut intacte. Quand j'exprimai à Rifkèlè mon admiration pour son courage et combien je l'avais eu plainte, comme on disait à Cosne-Ferrou, elle m'affirma sa volonté d'être aussi courageuse que la Jeanne d'Arc de notre livre d'histoire dans ses flammes.

Le soir, nous nous couchâmes plus tôt que les autres, regroupés sur des bancs autour du feu. Le lendemain nous devions rentrer au bourg. Nos matelas, installés dans la cuisine, nous obligèrent à participer malgré nous à la veillée. L'homme au couteau parlait de sa femme rentrée se coucher, parce que *faire passer le feu* la rendait malade. Elle prenait le mal sur elle. Ça l'assoiffait, l'affaiblissait. La mère de sœur Saint-Denis, à voix basse, plaignit la guérisseuse d'avoir reçu du Bon Dieu un don qui pouvait tout aussi bien la détruire.

« Oh que oui que ça pourrait tout aussi bien la détruire, poursuivit l'homme, vous vous souvenez de la Josèphe, celle qui faisait passer le mal aux vaches. A force de tout prendre sur elle, elle est morte dans des maux terribles, moins terribles que ceux du père Izar, mais quand même, elle en a péri. » Quelqu'un souffla : « Chut, les petiots... »

Alors il y eut un silence, et il continua en patois. Je m'accoudai sur mon matelas pour me tourner vers Rifkèlè. Ses yeux fermés ne me leurrèrent pas. Comme moi, elle avait été tout oreille.

Je connaissais l'histoire du père Izar. Bien avant l'arrivée de Rifkèlè, la mère Peyrac l'avait racontée à sœur Saint-Denis. Une histoire qui donnait de la peur, comme j'aimais. Grâce aux histoires effrayantes, je savais que ma vie s'épanouissait à l'abri des maléfices, des sorts jetés par des pères Izar.

Je ne l'avais jamais rencontré. Le vieil homme vivait juste à l'orée du chemin vers la Source Rouge, dans la demeure, jadis cossue, d'un petit filateur prospère. Ruiné au début du siècle, il laissa la maison se délabrer. Sa femme n'en sortait jamais. Lui paraissait parfois à une fenêtre, invectivait les passants dont la route croisait au voisinage de sa tanière. La mère Peyrac le rencontrait à la saison des champignons, il lui interdisait ce qu'il décrétait son territoire de cueillette, la menaçait. Elle n'avait peur ni de ses menaces, ni de ses maléfices, elle était plus forte que le vieux. Pourtant, sa réputation les effrayait tous au bourg. On n'aimait pas le croiser; aussi, tant qu'il vécut, évitait-on les parages de sa maison. On le soupçonnait de placer des pots de grès envoûtés, remplis de saindoux, aux coins des prés de ceux dont il voulait détruire les animaux. Les pauvres bêtes s'efflanquaient, dépérissaient, leur lait se tarissait, on ne pouvait plus les mettre sous le joug et elles mouraient. Pour sauver leur bétail, les paysans faisaient appel à la mère Josèphe. Elle savait faire passer le mal. A force de le prendre sur elle, la pauvre femme en périt. Ses souffrances remplirent d'épouvante ceux qui assistèrent à sa fin. Le soir de sa mort, elle se tenait dans son lit à quatre pattes, une vraie bête; du lait coulait de ses vieux seins, parfois elle s'accroupissait et se tenait les flancs en hurlant qu'elle vêlait et ses hurlements ressemblaient à des meuglements. Lorsque le prêtre vint apporter l'extrême-onction, la mère Josèphe calmée murmura : « le Bon Berger vient me prendre », puis elle mourut. Ses yeux restés ouverts gardèrent la fixité d'un regard de vache.

Peu de temps après, on ramassa dans la neige le cadavre de la mère Izar. Elle portait à la gorge une plaie, la morsure d'un chien furieux. Tout son sang s'était écoulé par la blessure. Ses mains agrippaient son ventre. Près d'elle, un chien berger, la truffe dans la neige, paraissait la veiller, le crâne fracassé, des lambeaux de chair collés autour de sa gueule, couché sur un gourdin, de ceux dont se servaient les vachers pour rassembler leurs bêtes. On reconnut le chien de la mère Josèphe. On trouva le père Izar en dernier. La face contre le sol, il geignait encore. On tenta de le mettre sur le dos; sa chemise et son pantalon étaient complètement déchiquetés, de son ventre ouvert les viscères se répandirent dans la neige.

La mère Peyrac raconta la fin du père Izar sans dissimuler sa satisfaction, indifférente à ma présence. Je ne perdis aucun des détails que la femme en noir se complut à donner, intarissable sur les maléfices du père Izar. Je sentis, d'instinct, le plaisir trouble qu'elle avait à raconter, et celui identique que j'avais à l'écouter. Cependant, sœur Saint-Denis vaquait à ses occupations. De temps en temps, elle interrompait la femme par des « oh oui, je sais », « mais oui je sais », « que Dieu lui pardonne »; et la mère Peyrac poursuivait son récit.

Je restai éveillé par mes préoccupations : si la femme aux cheveux blancs avait reçu du Bon Dieu le don de *faire passer le feu,* de qui le père Izar avait-il tenu ses pouvoirs maléfiques? Et si le don de guérir venait du Bon Dieu, pourquoi la femme aux cheveux blancs en souffrait-elle et pourquoi la mère Josèphe était-elle morte comme une bête? Je n'osais m'endormir : nous réveillerions-nous à temps pour ne pas manquer la grand-messe? Je savais sœur Sainte-Thérèse intransigeante, chaque lundi matin, il était obligatoire de résumer sur nos cahiers le contenu du prêche de M. le curé et la parabole lue l'après-midi aux vêpres. Il était impensable de ne pas aller à l'église le dimanche, ni même d'y arriver en retard.

Bien sûr, nous fûmes de la messe à temps, et pas un mot du prêche ne m'échappa. Pourtant, sur ma cape la saveur des bougnettes tenta de me distraire pendant que les yeux fermés, la respiration suspendue, j'écoutais M. le curé de toute ma volonté.

Au cours de l'après-midi de ce dimanche, combien dure fut ma peine à trier ce qui pouvait être confié à sœur Sainte-Thérèse pour *le compte rendu d'activité.* Dans la salle d'étude, nous avions repris nos quartiers scolaires jusqu'à l'heure des vêpres. J'écrivais sur mon cahier de brouillon. Je ne me résignais pas à dire ce jour que le sang, les couteaux, les viscères, la brûlure avaient transformé en une succession magique. Je redoutais qu'une fois raconté à sœur Sainte-Thérèse, il ne m'en restât rien. J'aimais récapituler, le soir dans mon lit, certains moments de mes journées, j'échappais par ce moyen aux tourments des questions qui me venaient du Diable. Rifkèlè dit très haut ce que j'osais à peine penser : « Je vais lui décrire les gens et le feu, comme dans les dictées. Je vais rien lui raconter, juste des descriptions. C'est ça qu'elles aiment les maîtresses. Le reste je lui raconte pas, c'est pour moi.

– Tu racontes la brûlure?

– Non.

– Pourquoi?

– Le mal est passé. Si je lui raconte, elle croira que je veux me faire plaindre. Elle dira aussi que peut-être le Bon Dieu me punit. »

Sans doute est-ce dans l'ordre des choses de « plaindre son enfance ». On plaint toujours les morts. L'enfant qu'on a été est un enfant mort; tous les enfants qu'on a été sont des enfants morts. Et chacun trimbale une ribambelle d'enfants morts. C'est là le tribut qu'il faut payer pour devenir adulte. J'ai moi aussi « plaint mon enfance ». Je me suis plaint de mon enfance, plus tard. Or, me souvenir aujourd'hui de Rifkèlè, de ce qu'est devenue ma vie avec son arrivée, c'est réhabiliter mon enfance. L'adulte devenu a pleuré sur l'enfant dépourvu de parents. Mais à l'enfant que j'ai été, les parents n'ont jamais manqué. L'enfant passif et végétal, nidé dans la cuisine de sœur Saint-Denis.

Végétal, je croyais sincèrement l'être. Lors de ma controverse avec sœur Sainte-Thérèse à propos du mensonge, l'institutrice avait mis fin à mes interrogations en me disant que je pensais trop, que j'étais un « roseau pensant ». Le propos tenu dans un sourire fut mal compris et reçu avec amertume. Je me le tins pour dit; et l'exemple de Rifkèlè aidant, me fit à l'égard des adultes plus végétal que jamais.

Le « témoignage de satisfaction »

ÉTAIT-CE ma « végétalité » qui me rendait si sensible au climat, aux saisons? Rifkèlè et toutes les filles de la classe se référaient aux fêtes, aux vacances, au nom des mois, des jours de la semaine pour situer un événement; pour moi, celui-ci restait associé à la couleur du temps, au bruit du vent dans la cheminée de la salle d'étude en hiver, au clapotis de l'eau de la fontaine qui montait en été de la place, par les fenêtres ouvertes. Seules les premières semaines de l'arrivée de Rifkèlè sont marquées de leurs dates dans mon souvenir, avec une précision qui ne me surprend pas. Il existe cette faculté, chez les enfants, de capter l'essentiel dans la masse des événements qui les assaillent, et de percevoir, jusque dans la nuance, tout ce que les adultes veulent leur dissimuler. Faculté qui confine à la prescience. J'ai pu le vérifier *a posteriori* maintes fois, en évoquant les comportements, les paroles et les silences de Rifkèlè à cette époque. Dans la « végétalité » de mon souvenir, elle reste liée à la neige et au froid, mais aussi au soleil, avec toutes ses nuances, depuis l'accablant soleil d'été, bruissant des guêpes et des bourdons dans le parfum du chèvrefeuille, jusqu'aux soleils frais et printaniers, avec les effluves des violettes et les couleurs des primevères.

Un jour de primevères, je fus confronté à une telle

injustice, que son souvenir et mon impuissance m'en blessent encore aujourd'hui.

Il était d'usage qu'une fois par trimestre, et avec solennité, M. le curé vînt distribuer des « témoignages de satisfaction » aux élèves méritantes de la classe. La cérémonie du premier trimestre s'était déroulée quelques jours avant l'arrivée de Rifkèlè. J'y avais été préparé par les jeux des élèves de Mlle de Saurillac dans la cour : quand elles jouaient à la maîtresse, arrivait toujours un moment où se pratiquait la distribution des témoignages de satisfaction. La fille désignée pour être M. le curé prenait un air grotesque, qu'elle croyait débonnaire. Lorsqu'elle appelait une élève « au bureau d'honneur », celle-ci s'approchait, esquissait une espèce de révérence, et faisait mine de prendre un billet que « M. le curé » simulait de lui donner. Ainsi initié, le jour de la cérémonie, j'ébauchai un salut plongé lorsque le prêtre m'appela. Je ne compris ni son air surpris, ni les rires étouffés de mes camarades, ni le regard glacé de sœur Sainte-Thérèse lorsque interrogateur je me tournai vers elle. Marinette me révéla que les garçons ne faisaient pas la révérence.

« Et à l'église? Moi j'ai vu les hommes. Ils faisaient la génuflexion en passant devant l'autel, c'est comme la révérence. » Eh bien non! Ça n'était pas pareil; j'avais fait rire, et j'en fus mortifié. Aussi appréhendais-je de mériter encore un témoignage de satisfaction ce trimestre. Comment faudrait-il le recevoir? Que devait faire un garçon si la révérence lui était interdite? Je ne m'étais ouvert de cette inquiétude à personne, et nul ne s'en doutait. Depuis la cérémonie du premier trimestre, l'usage s'était établi pendant la récréation de me désigner pour tenir le rôle de M. le curé, donc même par le truchement du jeu, je ne pus trouver de solution à mon problème. Toutefois, je me refusai à devenir un cancre pour échapper au rite de la récompense bien que, un instant, j'en fusse tenté; très vite je compris que cette inspiration me venait du Diable; je décidai d'accepter la dérision en cas de témoignage de satisfaction, comme une offrande à Jésus dans sa Passion puisque nous approchions de la Semaine Sainte.

Ce jour-là l'air était doux. Des histoires de cloches de Pâques en partance pour Rome se murmuraient dans tous les groupes de la cour. Sur le gros arbre, les bourgeons se gonflaient à en craquer. M. le curé devait venir juste après la prière de dix heures. Nous étions impatients au point d'oublier de jouer. La cloche sonna. Nous fûmes vite rangés, rentrés et agenouillés, sans que nous culpabilisât le silence toujours glacé de sœur Sainte-Thérèse pour accélérer notre retour au calme. La ferveur fut exceptionnelle. Notre institutrice s'installa devant l'harmonium et le prêtre fut accueilli par le chœur de nos voix implorant :

« Sauvez, sauvez la France
Au nom du Sacré-Cœur... »

M. le curé monté sur la chaire de sœur Sainte-Thérèse, restée près de l'harmonium, nous invita à nous asseoir et nous annonça que sa serviette avait failli craquer, tant il y avait glissé de témoignages de satisfaction : quasiment tout le monde avait bien travaillé. La serviette noire en péril fut posée sur le bureau, ouverte dans un silence angélique, et s'amorça l'appel des heureuses élues.

Le prêtre commença par la division des plus jeunes, et Viviane Peyrac, la benjamine, fut la première appelée. Les jeux de la récréation l'avaient initiée au cérémonial, pourtant, quand elle arriva au bureau d'honneur, elle demeura le corps rigide. Le bras tendu vers son témoignage de satisfaction, elle n'esquissa aucun autre mouvement. M. le curé sembla surpris d'une telle assurance, donna le témoignage, un carton souple jaune au nom de l'impétrante, fit un sourire et dit que c'était bien pour une nouvelle d'avoir été méritante. Rifkèlè prit la récompense, remercia, regagna sa place en me regardant fixement. Lorsque à mon tour je fus appelé, tout de suite après elle, j'imitai sa rigidité. Et personne ne rit. J'évitai les yeux de sœur Sainte-Thérèse et regagnai ma place où je croisai ceux de Rifkèlè. Je m'assis, surpris soudain de la simplicité de l'existence. Je sortis de mon pupitre le témoignage de satisfaction obtenu le trimestre précédent, je le posai près du nouveau, et je contemplai les preuves de mes vertus. Je glissai un œil vers Rifkèlè. Son visage n'exprimait rien. Elle avait posé le carton jaune sur son pupitre. Elle ne regardait rien. Ou bien quelque chose que seule, elle voyait. Cette absence du regard avait commencé un matin. Le soleil venait de réapparaître après des mois de grisaille. Sur la place, la neige fondait, et sur la fontaine, les glaçons se brisaient. Les filles, à la récréation de dix heures, s'étaient réjouies des rayons qui chauffaient à peine. Yvette Vidal, qui habitait en face de la gendarmerie avait raconté la présence de camions devant chez elle, les gendarmes y faisaient monter des hommes. Elle avait reconnu M. Max qui logeait dans la maison de Mlle de Saurillac. Il avait taillé des habits pour ses frères dans de vieux costumes. Julienne Lucmort, ce même matin, avait vu emmener le père et le fils de la famille juive que ses parents logeaient. D'autres filles racontèrent à leur tour comment les gendarmes étaient venus, très tôt, chercher les hommes juifs hébergés par leurs familles. Depuis Rifkèlè s'était comme renfrognée. Son air maussade me fit craindre qu'elle ne fût fâchée contre moi. L'interroger eût été vain.

Le témoignage de satisfaction ne la dérida pas. Lorsque la cérémonie fut terminée, sœur Sainte-Thérèse donna un signal de la tête et du regard, fit courir ses mains sur les touches et ses pieds sur les pédales de l'harmonium et, debout, nous prîmes congé de M. le curé dans un chœur enthousiaste où nous proclamâmes :

« Je suis chrétien, voilà ma gloire
Mon espérance, et mon soutien... »

Rifkèlè levée comme les autres ne chanta pas. Lorsque les voix et l'harmonium se turent, le prêtre descendit de la chaire et sortit accompagné de sœur Sainte-Thérèse. La classe restée seule, éclata en cris de joie et de déception, car certaines n'avaient pas été méritantes, en manifestations méprisantes sur l'inutilité des témoignages de satisfaction. La plus véhémente dans ce registre fut Michelle Viguier, une mauvaise élève, très paresseuse. Ces défauts ne gênaient que sœur Sainte-Thérèse, mais elle était également méchante : son astuce en matière de vilenie nous la rendait redoutable. Dans le brouhaha de la classe surexcitée, elle s'approcha de Rifkèlè, toujours maussade sur son banc, prit le témoignage de satisfaction et lut à haute voix :

Témoignage de satisfaction
BIEN
Mademoiselle Viviane Peyrac

puis elle le jeta, méprisante.

« Toi, tu n'es pas Viviane Peyrac, tu es une menteuse. Ce témoignage tu l'as volé. Tu es une voleuse. »

Une gifle sur la joue de Rifkèlè ponctua l'accusation. Mes yeux, figés sur le visage de ma filleule, voyaient le soleil se glisser dans chacune des boucles de ses cheveux; sur ses joues que la fureur avait rougies, les larmes ne coulèrent pas; ses yeux brillèrent, mais ne cillèrent pas. Michelle Viguier disparut dans la masse agitée des élèves.

Quand sœur Sainte-Thérèse revint, chaque élève regagna sa place.

Je me sentis impuissant. Il ne fallait pas dénoncer Michelle Viguier, et Rifkèlè ne se plaindrait pas.

La maladie de sœur Sainte-Thérèse

PEU après ces témoignages divers attribués à Rifkèlè, sœur Sainte-Thérèse monta se coucher en même temps que ma filleule et moi grimpions vers le dortoir. Arrivée à la porte noire de sa cellule, juste au-dessus de la Chambre solennelle, la religieuse nous quitta sans un mot et disparut. Elle avait gravi les marches de pierre avec une lenteur dont je croyais que seule Mlle Calas avait l'apanage. Disparu le pas nerveux, que même les mouvements de la robe n'assouplissaient pas, le pas sec, comme sa voix sèche.

Le lendemain matin, Mlle Calas prit en charge la classe des grandes et l'Asile fut confié à sœur Saint-Denis. La jubilation de la jeune religieuse qui exultait du plaisir de s'occuper des petits, fut de courte durée. Comme le lui dit ma grand-tante, « elle ne pouvait être à la ferme et au moulin en même temps, et puis elle perdait trop vite la tête ». Bref, trois doublantes de la grande division se chargèrent des enfants de l'Asile. Sœur Saint-Denis réintégra son domaine, où le feu dans la grande cuisinière s'était éteint.

Le matin suivant, Mlle Calas n'occupait plus la chaire de sœur Sainte-Thérèse, les petits de l'Asile retrouvèrent leur maîtresse, et les trois doublantes revinrent s'installer à leurs pupitres; nous avions une nouvelle institutrice :

une laïque, arrivée de Castres la veille au soir, les cheveux châtains, frisés, et la blouse grise, morne comme son visage. Je crois qu'elle était jeune. L'habit de religieuse me manqua. J'avais coutume de regarder intensément sœur Sainte-Thérèse. Pendant qu'elle parlait, assise à son bureau, je déplaçais mes yeux sur le mur chaulé de la classe, et l'image de sa silhouette, persistant sur ma rétine, me donnait l'illusion qu'à moi aussi, tout comme à Bernadette Soubirous et aux petits bergers de Fatima, la Sainte Vierge apparaissait. J'eus beau fixer avec la même intensité le mur derrière le dos de la laïque, je ne retrouvai plus l'ombre voilée, mais la forme d'une chevelure permanentée et d'épaules strictement carrées.

La laïque fit disparaître le soleil. Les jours de sa présence furent sombres. Elle me donna irrémédiablement l'horreur de la géographie dont elle nous imposa des pages entières à apprendre par cœur, et la répugnance pour les croquis des fleuves qui avaient des débits, des crues, des avals, des amonts. La France, dont jusqu'alors je reconnaissais avec plaisir la forme harmonieuse sur toutes les cartes de l'Europe, parce qu'elle était rose, comme la Pologne, qui ressemblait à un estomac de vache avec son morceau de Prusse orientale verte dans sa partie supérieure, la France devint une pieuvre monstrueuse dont le corps aux aguets envoyait de Paris des tentacules dans toutes les directions. J'avais beau savoir que c'était là des lignes de chemin de fer, s'imposait la pieuvre, avec pour œil unique, le point qui localisait la capitale.

La laïque était sévère, d'une sévérité autre que celle de sœur Sainte-Thérèse. Notre institutrice avait la sécheresse de la justice; il s'agissait pour elle de nous maintenir en vigilance contre le Démon qui pouvait s'insinuer en nous, par tous les moyens; son enseignement était le relais de celui donné dès l'Asile par Mlle Calas. Elle voulait nous imposer la terreur et l'horreur du péché pour ménager notre salut. Dans les jours qui précédèrent sa disparition derrière la porte noire, sa force de conviction, pour nous faire comprendre que Jésus avait souffert par nous et pour nous, me bouleversa. Rifkèlè perçut mon désarroi, elle se pencha vers moi pour dégager ma responsabilité : nous n'étions pas nés quand tout ça s'était passé.

La sévérité de la laïque était de l'ordre de la méchanceté et non de la justice. Il émanait d'elle une force répulsive. J'avais peur de sœur Sainte-Thérèse comme d'une justicière immanente. Elle me donnait constamment le sentiment de mon péché. La laïque me faisait peur car je craignais que d'elle ne vînt le mal. Elle se montra équitablement dure avec tout le monde et ignora ostensiblement Rifkèlè. Ma filleule se mura dans le silence et le refus de participation. La nouvelle maîtresse crut en toute bonne foi que la petite fille était idiote.

Selon la remplaçante, Jésus avait souffert par la faute des Juifs, nous n'y étions pour rien. Cette version de la Passion rendit Rifkèlè blême, plus proche des larmes qu'elle ne l'avait été lorsque la femme aux cheveux blancs lui avait *passé le feu*.

La laïque ne resta pas assez longtemps à Cosne-Ferrou pour que nous connussions son véritable nom. Elle demeura la laïque, morne et méchante, associée dans ma mémoire au visage de Rifkèlè, et au ciel gris et chargé de nuages qui précéda la Semaine Sainte.

Une nouvelle remplaçante arriva un soir, l'air un peu ahuri et des sourires plein les yeux, comme du soleil. Elle nous surprit en appelant Mlle Calas « ma mère ».

Mlle Rivel était très jeune, on le voyait bien. Jolie, coquette, elle n'enseignait pas en blouse et mettait presque chaque jour de nouveaux chandails aux couleurs bigarrées qu'elle avait tricotés. Elle apparut quelques jours avant les congés de Pâques, et resta avec nous bien audelà des grandes vacances.

La nouvelle remplaçante adorait tricoter des chandails. Elle avait apporté de vieux lainages, qu'avec Rifkèlè et Marinette nous l'aidâmes à défaire, et mîmes en pelotes dures et lourdes. Elle réalisa trois vestes, aux couleurs inattendues, qui suscitèrent la surprise de sœur Sainte-Thérèse lorsque nous fûmes autorisés à lui rendre visite dans la Chambre solennelle. Par des voies inconnues, la malade y avait été installée dans les jours qui suivirent sa disparition.

La visite eut lieu le jour de Pâques, au début de l'après-midi. Mlle Rivel nous y avait préparés comme à une récompense entourée de mystère. Elle avait le goût du caché, du clandestin. Ainsi, conçut-elle le projet secret de nous faire réaliser des cache-nez pour les trois religieuses. L'idée plut à cause du secret. Mais, l'obligatoire couleur noire de la laine à travailler nous attrista. Comme la jeune fille semblait attacher beaucoup d'importance à son projet, son enthousiasme et notre affection pour elle aidant, nous nous résignâmes.

Dans la Chambre solennelle, le parquet, éclaboussé du soleil qui venait de la place de la Fontaine, réfléchissait la lumière dans les miroirs et sur les murs; sœur Sainte-Thérèse m'en parut transfigurée dans son lit. Elle ressemblait à la Sainte Vierge sur sa couche mortuaire, juste avant l'Assomption. Après quelques observations sans aménité, la malade nous signifia que notre présence avait assez duré.

Avec ma filleule, nous nous assîmes au pied de l'arbre dans la cour, en attendant l'heure des vêpres.

J'étais pour sœur Sainte-Thérèse dépourvu d'inquiétude. Puisqu'elle était dans la Chambre solennelle, elle allait sûrement mourir. Elle irait au Ciel, sans transiter par le Purgatoire, de cela j'avais la certitude. C'eût été le comble qu'elle allât griller en Enfer! Selon Rifkèlè, sœur Sainte-Thérèse n'était sûrement pas près de mourir, parce que la personne en qui elle devait revenir – « les morts reviennent toujours, tu sais bien » – n'avait pas encore été prévue, la laïque était bien trop méchante et Mlle Rivel beaucoup trop gracieuse.

« Et puis, poursuivit-elle, avec son bonnet sur la tête, elle n'a pas l'air de quelqu'un qui va mourir, elle ressemble à Mme MacMiche, elle fait rire. Si elle allait mourir, elle ne ferait pas rire. »

Sa certitude, quant à la survie de sœur Sainte-Thérèse, n'emporta pas la mienne, persuadé que j'étais de la signification funèbre de son installation dans la Chambre solennelle.

Pourtant la malade survécut. Elle fut longuement souffrante et Mlle Rivel demeura avec nous près de deux trimestres.

Au cours du mois de mai, l'évêque vint visiter sœur Sainte-Thérèse avant qu'une ambulance ne l'emmenât à Albi. A cette occasion, les grandes furent également accueillies par leur maîtresse et reçurent la bénédiction de Monseigneur. La visite épiscopale fut joviale et baignée du soleil qui venait de la place de la Fontaine.

Après la récréation de dix heures, les élèves pénétrèrent dans la Chambre solennelle. Intimidées par cette malade impotente, pâle souvenir de leur sévère institutrice, elles se placèrent sur trois rangées devant le lit de sœur Sainte-Thérèse. Je la trouvai comique maintenant que je la regardais avec les yeux de Rifkèlè. Sa coiffe lui donnait l'air d'une vieille poupée, sa pèlerine grise sur ses épaules me rappelait les écailles d'un gros poisson de mon livre de sciences naturelles. Elle avait exigé de nous voir agenouillés. Ensemble nous récitâmes un chapelet pour tous les malades.

Nous entendîmes la porte s'ouvrir, toutes les têtes se tournèrent, Mlle Calas franchissait le seuil, suivie d'un prêtre à la taille ceinte d'une écharpe violette. Il nous fit signe de poursuivre et vint prier avec nous. Puis il s'approcha de la malade, elle reçut sa bénédiction et baisa l'anneau d'améthyste, dont Mlle Rivel nous avait beaucoup parlé. L'évêque dit qu'il fallait laisser reposer sœur Sainte-Thérèse. Les élèves à leur tour reçurent la bénédiction épiscopale. Vint le moment de baiser l'anneau de Monseigneur. Tout le monde défila, s'agenouilla et baisa l'améthyste, sauf Rifkèlè. Elle ne savait pas pourquoi, elle n'avait pas eu envie.

Notre maîtresse disparue ne nous manqua pas. Les mardis et les samedis toutes les élèves récitaient des chapelets pour sa guérison. Les pensionnaires disaient des neuvaines dans la chapelle du couvent. Sœur Sainte-Thérèse ne guérissait pas, et Mlle Rivel restait avec nous. Tout le monde s'en réjouissait. Je m'accusai bientôt de prier sans sincérité pour notre institutrice en titre. Je voulus me mortifier, je boudai la remplaçante que j'aimais bien pourtant. J'accumulai les fautes d'orthographe et les erreurs d'étourderie dans mes problèmes de calcul. Elles firent d'abord rire, puis me valurent la désapprobation affligée de l'institutrice. Un jour, Rifkèlè regarda mon cahier et haussa les épaules, ce n'était pas en devenant un cancre que j'obtiendrais la guérison de sœur Sainte-Thérèse. Sa remarque me fut un baume, je cessai de me punir. A la veille des grandes vacances, j'obtins même mon troisième témoignage de satisfaction.

Les grandes vacances

CES premières grandes vacances avec Rifkèlè furent actives et paysannes.

Mlle Rivel était une citadine. Sa présence dans notre école, parmi des filles de paysans que son urbanité fascinait, suscita en elle une nostalgie de la terre. Elle ne cessa de nous vanter les vertus paysannes, la beauté du labeur rural, la joie du travail de la terre, etc. Les filles l'écoutaient, avec surprise, magnifier le quotidien de la vie de leurs parents. Nos problèmes de calcul nous invitaient à chercher, en quel point du chemin vicinal, des bergers venant en sens contraire se croiseraient avec leurs troupeaux, etc. Nous chantions *le gai laboureur,* et nous célébrâmes dans plusieurs poèmes « le geste auguste du semeur ». Les filles comprirent vite que, si leurs rédactions évoquaient l'arrachage des pommes de terre, les foins, la moisson, elles auraient de bonnes notes. Et le soir, à table, Mlle Rivel disait sa satisfaction de travailler en milieu rural; l'orthographe de ses élèves s'améliorait depuis que les dictées choisies avaient pour thème les travaux de la terre, le labeur des paysans et le respect qu'ils devaient inspirer aux gens de la ville.

Pendant la période qui précéda les jours torrides du certificat d'études, son exaltation rurale, son admiration pour les tâches auxquelles ses élèves allaient consacrer leurs vacances, atteignirent de tels sommets que les invitations pour participer aux travaux des champs lui vinrent de partout. Laïque, elle n'était pas soumise à la contrainte de la clôture, elle pouvait aller et venir comme elle l'entendait, et même, retourner à Castres. Mais notre remplaçante, respectueuse et courtoise, et très attachée à Rifkèlè, demanda l'autorisation de rester au couvent pendant l'été. Elle voulait participer aux activités champêtres avec Viviane et Poupou, et Marinette si elle le souhaitait. Ma grand-tante avait pour règle de me faire plaisir, elle avait compris que tout franchissement de la clôture m'était une joie, elle accorda son autorisation.

Ces grandes vacances furent comme une interminable promenade sur des chemins secs, dans des charrettes à claire-voie, des tombereaux dont les cahots me déchiraient le cœur et les oreilles et qui, même vides, gardaient le souvenir du fumier qu'ils avaient transporté. Je m'agrippais à n'importe quoi pour ne pas tomber, tandis que Rifkèlè culbutait sur les planches et criait son contentement. Quand la promenade s'interrompait, avec d'autres on glanait sous un soleil qui m'écrasait, on suivait les moissonneurs qui enlevaient les gerbes au bout de leurs fourches de diables pour les poser dans les charrettes, et on ramassait les épis oubliés. Au milieu de l'après-midi, on allait vers le bosquet où Mlle Rivel et les autres avaient posé des paniers, et tout le monde goûtait. Dans le bosquet, enfin à l'ombre, je pensais à la cuisine de sœur Saint-Denis, si fraîche en été, je me sentais un peu triste. Alors Rifkèlè me prenait la main comme pour me consoler d'une peine que je n'avais pas vraiment et me souriait. En fin d'après-midi, la promenade recommençait dans l'autre sens, à pied cette fois, sauf pour Rifkèlè qui acceptait d'être juchée tout là-haut parmi les gerbes.

Le meilleur moment de ces vacances bucoliques fut celui des balles. Lorsque la moissonneuse avait fait son œuvre, la paille était miraculeusement agglutinée en gros parallélépipèdes qu'il fallait engranger dans des hangars. Mlle Rivel voulait être de tout, elle fut également de ces engrangements. Très vite, je trouvai le parti que Rifkèlè et moi pouvions tirer de ces gros blocs de paille appelés des balles. Au fur et à mesure qu'on les entassait, ils constituaient comme une muraille dorée que nous escaladions, et dans les interstices de laquelle nous nous glissions, invisibles aux autres, dans une intimité retrouvée et dont j'avais pris l'initiative.

« Toi Poupou, il faudrait que tu sois toujours enfermé. On dirait que tu voudrais toujours rester dans la cuisine de sœur Saint-Denis. »

Rifkèlè avait peut-être raison. Pourtant, j'étais content de franchir la clôture.

Il y eut plusieurs séries d'engrangements. Mlle Rivel fut de tous, et nous avec elle. Je connus, grâce à ces clôtures de paille, un répit à une agitation qui me troublait, elle semblait convenir à Rifkèlè, mais ma filleule y renonça. Je n'eus pas même à le lui demander.

Puis la remplaçante retourna quelques semaines à Castres. Je retrouvai enfin le rythme de la vie au couvent, dans la cuisine de sœur Saint-Denis que Marinette n'avait pas quittée, indifférente à l'allégresse champêtre de l'institutrice. Rifkèlè reprit le mode de la vie habituelle sans rien manifester.

Au mois d'octobre, la rentrée des classes nous ramena Mlle Rivel. Reprise de sa frénésie rurale, un jeudi, flanquée de Viviane dont elle ne voulait pas se séparer et de Poupou, elle participa à l'arrachage des pommes de terre. Rifkèlè et moi nous en trouvâmes fort bien. Nous usâmes de la binette à tour de rôle et ramassâmes les pommes de terre qui apparaissaient dans la terre fendue. Mlle Rivel, si alerte pour glaner et engranger les balles, gagna un tour de rein en arrachant les pommes de terre. Ainsi s'acheva pour elle, et pour nous, la pratique des travaux des champs.

L'été 1944

REVINT la période des sacrifices pour que l'Enfant Jésus soit bien au chaud dans sa crèche. Mlle Rivel, restée jusqu'au moment des premiers grands froids de la Toussaint, put voir Mlle Calas et sœur Saint-Denis étrenner les cache-nez noirs que nous avions tricotés. Mais elle ne vit pas sœur Sainte-Thérèse user du sien, ni quiconque jamais.

Les maximes inscrites au tableau me firent souvenir que Rifkèlè était avec moi depuis une année déjà. Alors m'apparut si claire la notion du temps qui passe, du temps plein qui dure, du temps qui s'accélère lorsque jaillit un repère et que naît le sentiment de l'éternel retour. Je compris pourquoi sœur Sainte-Odile réitérait souvent sur le ton de la plainte, que le temps passait bien vite.

Dans la classe, les élèves de la grande division disparurent avalées par la vie. Je ne m'informai pas de ce qu'elles étaient devenues, cela m'était indifférent. Les moyennes les remplacèrent. Mlle Rivel, à la rentrée, nous avait laissés au même pupitre, devant le bureau. A son retour sœur Sainte-Thérèse nous y oublia. Les nouvelles de chez Mlle de Saurillac m'étaient familières, le grand brassage des élèves dans la cour de récréation, juste avant les vacances d'été, avait opéré le miracle annuel des amitiés neuves. La crainte d'être dorénavant les pupilles de sœur Sainte-Thérèse leur donnait cependant un aspect timoré, qui me les rendait étrangères.

Le retour de Noël fit s'accélérer le temps et le frappa de flou et d'imprécision.

Le printemps 1944, en revanche, marqua comme un ralentissement, et les souvenirs émergent.

Avec le soleil vint pour certaines condisciples le temps d'une retraite qui devait les préparer à la communion solennelle. L'événement était banal. Les filles viendraient nous rendre visite, cérémonieuses dans leur robe d'organdi, elles dégageraient de sous leur voile, l'aumônière gonflée dont elles tireraient les sempiternelles effigies de saint Jean-Baptiste enfant, qui enrichiraient ma collection. Toutefois, cette année, le discours que tint sœur Sainte-Thérèse avant leur départ me tracassa. A l'entendre, au cours de cette période de recueillement, les filles allaient subir une métamorphose, se purifier totalement du péché pour mériter leur robe blanche et accueillir le corps de Jésus. Je crus comprendre que, par leur retraite, elles donnaient congé à leur ange gardien; désormais, elles pourraient affronter seules les assauts du Malin. Je les enviais, j'aurais voulu moi aussi être initié à ce pouvoir, devenir fort, me libérer de l'inquiétude du péché qui me tenaillait toujours, quoique avec quelque répit : la nonchalance de Rifkèlè à l'égard de mes préoccupations avait fini par faire se desserrer l'étau de mes tourments – parfois.

Les moyennes revinrent. D'abord sous forme de communiantes solennelles. Puis, incarnées dans leurs anciens corps d'avant la retraite, semblables en apparence à elles-mêmes, différentes, pensais-je, quant à leur âme et à leur liberté à l'égard du péché. La vie de la classe reprit, comme avant, et s'il y eut métamorphose, elle se fondit dans le quotidien et m'échappa.

En plein été survint la Libération, peu après le 15 août qui cette année fut de célébration grandiose. Sa préparation me donna l'occasion de sortir de la Maison. Depuis le départ de Mlle Rivel je n'avais plus jamais franchi la clôture, je n'en avais pas manifesté le désir.

Cette année je fus tenu de participer à la procession annuelle; le cérémonial voulait que les moyennes fussent du cortège, vêtues en costumes de « croisés » : une sorte de surplis blanc, frappé sur la poitrine et le dos d'une croix de Malte bleue bordée d'argent. Les grandes vacances commencées depuis plusieurs semaines nous avaient séparés de nos condisciples. Aussi, ces retrouvailles prévues nous excitaient. Elles ressuscitaient pour un bref moment la vie d'école; les filles nous manquaient un peu.

La procession du 15 août suivait un itinéraire immuable depuis des siècles. A cette occasion, comme pour la Fête-Dieu, toutes les maisons sur le parcours de la procession étaient tendues de draps blancs piqués de bouquets de fleurs, que les autres années j'avais regardés de la fenêtre du dortoir. L'usage exigeait que la procession interrompît sa marche de temps en temps pour prier devant des reposoirs : des autels en plein air, décorés et fleuris par de dévotes riveraines. Sœur Saint-Denis, chargée de celui dressé près de la Fontaine, obtint pour Rifkèlè et moi, l'autorisation de l'accompagner et de l'aider dans sa tâche. Marinette, avec la religieuse, transporta des planches; à Rifkèlè et à moi on confia des tréteaux. Une table, vite construite, fut recouverte d'un drap blanc. Alors commença un va-et-vient entre notre Maison et le reposoir : il s'agissait d'apporter des vases, des fleurs artificielles, divers objets du culte empruntés à la chapelle du couvent pour la décoration. J'éprouvai une impression de profanation qui gâcha mon plaisir; pas même confirmé, j'usais comme d'ustensiles de banalité quotidienne, d'objets auxquels j'attribuais un pouvoir sacré, je m'autorisais à les placer à ma fantaisie. Rifkèlè perçut mon hésitation lorsque je pris dans la chapelle une statuette de saint Joseph. Elle me dit que sur l'autel dedans ou sur l'autel dehors, le saint Joseph restait le saint Joseph, il avait bien le droit lui aussi de prendre l'air; la fête de la Sainte Vierge, c'était aussi la fête de son mari.

Cette année, le 15 août tomba un lundi qui fut comme un dimanche prolongé. L'Assomption à Cosne-Ferrou avait un caractère militant; en pays languedocien, de forte minorité protestante, la fête était pour d'aucuns une manifestation d'allégeance à un culte méprisé par l'autre parti.

A cette époque, régnait par ailleurs dans le bourg, un climat d'attente de quelque chose d'imminent. Depuis le début de l'été, on l'avait ressenti jusque dans la cour de l'école. Avec les beaux jours, les récréations s'étaient parfois prolongées. Un nouveau jeu avait été introduit par certaines élèves : le jeu de la T.S.F. Elles s'amusaient à énoncer des phrases obscures par leur sens, qu'elles affirmaient avoir entendues au poste. C'était à qui énoncerait la phrase la plus saugrenue. Les choses parfois prenaient une tournure plus grave. A la fin du printemps, des échos de fusillades et de mitraillages avaient franchi notre clôture par des voies sans mystère. Des filles avaient raconté, pendant des récréations, que leurs frères disparaissaient, puis ressurgissaient dans la ferme familiale métamorphosés en maquisards. Les mêmes, qui avaient informé Viviane que son cousin Manou Peyrac était devenu un chef, étaient comme frappées de mutité les jours suivants si je leur demandais à quoi ressemblait un chef maquisard. Le mystère succédait à l'allégresse. Certains soirs, il y eut dans notre cuisine une telle impatience d'allumer le poste de T.S.F. qu'on en oublia de nous envoyer au lit, Rifkèlè et moi. Nous réentendîmes cette voix d'homme que couvrait le moulin à musique aux sonorités de crécelle. Il se passait des événements graves, on nous les taisait, par négligence. Selon les adultes, nous ne comprenions rien, il était donc inutile de nous expliquer quoi que ce fût. Marinette elle-même semblait faire bande à part, ou front commun avec les grandes personnes. Le désintérêt qu'on nous manifesta parfois le soir m'inquiéta, je devenais craintif quand on m'ignorait et changeait mes habitudes. Rifkèlè se réjouissait de cette agitation dans la cuisine. J'essayai à mon tour de tirer avantage du bouleversement, je tentai de me l'assimiler comme un nouvel ordre.

Peu de temps avant les grandes vacances, Aline Pujol raconta que le fils de son locataire juif avait été blessé par des Allemands; avant de mourir il avait demandé à se convertir au catholicisme. Je ne compris pas l'émotion suscitée par la nouvelle. Sœur Sainte-Thérèse qui d'habitude interdisait aux pensionnaires de parler pendant le repas, laissa Marinette évoquer cette conversion. Elle prit alors l'importance de celle du roi des Saxons, obtenue par Charlemagne, racontée par mon livre d'histoire. Rifkèlè parut très attentive, mais ne dit rien. Après le rituel de fin d'année qui consistait à chanter *« Ce n'est qu'un au revoir mes sœurs... »*, en une grande ronde autour de l'acacia de la cour, elle s'installa dans une torpeur studieuse et lut bien plus que ne pouvait fournir Mlle de Saurillac. Des journées entières dans la salle d'étude, elle sembla s'accrocher aux livres. Elle n'avait pas envie de me parler, elle me le dit. Alors je retournai dans la cuisine de sœur Saint-Denis, et auprès d'elle, moi aussi je me mis à lire avec obstination. La préparation au 15 août et la fête elle-même rompirent cette période de silence.

Le jour de l'Assomption, Marinette revêtit son uniforme d'*Ame vaillante.* Le plus impressionnant dans ce costume en était le béret, raide autour de la tête comme une auréole de feutre, avec un bel insigne juste au-dessus du front, témoignage d'une onction sacrée dont le sens m'était inconnu. Dans le cortège, elle rejoignit les filles de sa division, tandis que Rifkèlè et moi suivions derrière avec les moyennes. Le chemin me parut long. Le soleil brûlait mes yeux. Mon surplis me collait au corps, les croix de Malte, taillées dans une espèce de toile cirée, me mouillaient de transpiration. Je fus vite fatigué. Nous avancions lentement et il fallait chanter et j'avais soif. J'aspirais à la halte devant un reposoir. Là, ce fut pire. Il fallut s'agenouiller à même le sol, sous le soleil qui tapait encore plus fort. Rifkèlè, gaillarde, chantait et priait de toute sa voix. Moi j'étais pantelant. Je trouvais injuste cette fatigue que je ne pouvais maîtriser. J'en voulus à mon ange gardien, il ne m'aidait guère et me laissait une proie facile pour le diable. Rifkèlè prit ma main et, pour me réconforter, murmura que la place de la Vierge n'était plus très loin. Quand la procession atteignit l'ultime reposoir, tous les fidèles s'agenouillèrent et tous chantèrent d'une même ferveur,

« Sauvez, sauvez la France
Au nom du Sacré-Cœur... »

Quelques jours après, éclatait la Libération.

La vie au couvent n'en fut guère changée, sinon que

l'écoute de la T.S.F. non seulement perdit son mystère, mais encore disparut. A la rentrée d'octobre, le cérémonial fut modifié dans la classe de sœur Sainte-Thérèse : la prière récitée après la récréation de la matinée demandant au Bon Dieu de « protéger notre chef le maréchal Pétain » tomba en désuétude. Une grande tenta de remplacer le maréchal Pétain par le général de Gaulle, mais dans la prière en vers, « de Gaulle » ne rimait pas avec le vers précédent. Pour le reste, tout continua comme avant. Marinette resta avec nous. A la fin des grandes vacances, un homme s'était présenté au couvent. Il portait un brassard de F.F.I. sur sa chemise kaki. C'était son frère. Il embrassa Marinette, puis promit de revenir la chercher lorsqu'il aurait délivré leur mère en Allemagne. On ne les revit jamais. Son père libéré du camp de prisonniers, bien plus tard, laissa demeurer Marinette avec nous.

De Profundis
Pour un très grand pécheur

A la rentrée qui suivit la Libération, Rifkèlè et moi faisions partie de la division des grandes, mais nous restâmes à notre pupitre devant le bureau de sœur Sainte-Thérèse. L'hiver, cette année-là, fut très froid et très long. Il neigea le 1er mai 1945. Tout le monde trouva ça extraordinaire, « une catastrophe ». Moi j'en fus content, j'avais si souvent souhaité qu'il fît chaud en hiver et frais en été. J'aimais ce bouleversement climatique qui ne bouleversait pas ma vie, il était juste insolite.

Puis le soleil revint. Un matin, après la messe du mois de Marie, des filles dans la cour annoncèrent que la guerre était finie. Le soir après la classe nous allâmes à l'église pour le *Te Deum.* A la tribune, près des grandes orgues, Georges Trigassier sonna dans sa trompette, comme promis. Ce fut très beau. Les gens étaient émus. Certains pleuraient. Rifkèlè me parut bien triste. Le lendemain, sœur Sainte-Thérèse nous fit dire le *De Profundis* pour un très grand pécheur en terrible danger de damnation éternelle, il s'appelait Adolf Hitler.

A l'automne, Poupou quitta la Maison. Il devint pensionnaire au collège de Castres et désormais il fut Joseph Cros, promis au séminaire de Saint-Sulpice.

La guerre finie, un frère de la Juive, échoué en Palestine, fit rechercher sa nièce qu'il découvrit dans la cuisine de sœur Saint-Denis.

Rifkèlè partit rejoindre son oncle. Pour la première fois elle voyait la mer.

CET OUVRAGE
A ÉTÉ COMPOSÉ
ET ACHEVÉ D'IMPRIMER
PAR L'IMPRIMERIE FLOCH À MAYENNE
LE 9 AOÛT 1984
(21911)
POUR LE COMPTE DES
ÉDITIONS CALMANN-LÉVY, 3, RUE AUBER
PARIS-9e – N° 11059
DÉPÔT LÉGAL : SEPTEMBRE 1984